FONTENELLE

AMÉDÉE FAYOL

FONTENELLE

" Il a donné
de nouvelles lumières
au genre humain "
(Vauvenargues)

NOUVELLES ÉDITIONS DEBRESSE
38, Rue de l'Université, 38
PARIS

Illustration couverture : Studio Royer-Viollet

LIMINAIRE

Enfant chéri de la destinée, Fontenelle mena, au long de ses cent années, une brillante et pleine existence, qu'effleurèrent, à peine, deux ou trois déconvenues.

Bel esprit, au temps de la préciosité, mais toujours profondément imprégné du classicisme, il devint un grand esprit qui orienta la seconde moitié de sa vie vers la philosophie et l'encyclopédie.

Assidu aux séances des trois académies, il fréquentait les cénacles des Encyclopédistes, précurseurs des lendemains.

Recherché des milieux à la mode, il était attiré dans les salons où régnaient de grandes dames, et où venaient aussi de vieilles précieuses converties, avides de prendre des nouvelles de la science.

Partout, il trouvait sympathie, compréhension. Il baignait au sein d'une atmosphère d'encouragement à poursuivre ses multiples curiosités vers les domaines qu'ouvrait le XVIIIe siècle.

Au dire d'un critique du XIXe siècle, la vie de Fontenelle, assortie des différents objets qui s'y rapportent « ferait l'histoire de la philosophie et des révolutions qu'elle a éprouvées en France, après Descartes, et jusqu'à nos jours. » L'esprit philosophique, aujourd'hui si géné-

ralement répandu, doit ses premiers progrès à Fonte-
nelle (1).

Sur le plan intellectuel, Voltaire le considérait comme
un parent d'esprit ; et il avait vu en lui, d'abord le bel
esprit, l'honnête homme comme on disait à cette époque,
le vulgarisateur. Il découvrit vite, et annonça l'universa-
lité de ses connaissances.

« D'un nouvel univers il ouvrit la barrière.

Des infinis sans nombre, autour de lui croissant,

Mesuré par ses soins, à son ordre naissant,

A nos yeux étonnés, il ouvrit la carrière,

L'ignorant l'entendit, le savant l'admira. »

Dans toutes ses œuvres circulent, d'abord, le bon sens,
la raison. Sans doute, y apparaît-il, parfois, plus égoïste
qu'altruiste. Mais chez lui, et en certains cas, voilés, on
rencontre aussi le cœur, une bienfaisance discrète, mais
désireuse de s'employer.

Sa sociabilité l'acheminait doucement vers la com-
préhension des besoins humains. Ne trouverait-on pas
chez Fontenelle, une manière de « précurseur pré-so-
cial ? »

Son comportement de savant, fut celui de Dodart (1)
qui « connaissait, souverainement, les qualités d'un aca-
démicien, c'est-à-dire d'un homme d'esprit, qui doit vivre
avec ses pareils, profiter de leurs lumières, et leur com-
muniquer les siennes. »

---

(1) Pour Fontenelle, la vraie philosophie, est opposée à la philosophie scolastique. Il l'appelait *la philosophie des choses,* ou *philosophie expérimentale.*

Elle est née de l'observation des faits, de l'étude des effets de l'expérience.

(Cette philosophie a été commencée par Bacon, Galilée, Descartes, continuée par Leibnitz, Newton, et popularisée par Fontenelle, Voltaire, d'Alembert).

(1) Dodart (1631-1707), médecin du roi, membre de l'Académie Française, et dont Fontenelle prononça l'éloge.

PREMIERE PARTIE

ENFANCE-ADOLESCENCE

Fontenelle était le fils de Marthe Corneille, sœur des deux Corneille, qui exercèrent sur lui une profonde et durable influence.

C'est pourquoi il a paru judicieux de présenter, en raccourci, ce milieu familial normand.

Le chef de famille était Pierre Corneille, le père, avocat du roi à la table de marbre. Sa femme était née Marthe Pezant, dont la famille occupa longtemps de grandes charges.

Pierre Corneille (1606-1699), né à Rouen était l'aîné. Avocat sans causes, et, partant sans succès, il cherchait sa voie. Et Fontenelle, dans la *Vie de Corneille* rapporta ce trait :

« Un jeune homme mena un de ses amis chez une demoiselle dont il était amoureux. Le nouveau venu s'établit sur les ruines de son introducteur. Le plaisir que lui causa cette rencontre, le rendit poète. Et il en fit une comédie. Il avait eu également le dessein d'y employer un sonnet qu'il avait écrit pour cette demoiselle. Cette pièce fut *Mélite,* qui, jouée en 1629, connut un grand succès. »

Suivant certains auteurs cette jeune fille répondait au nom de Marie Courant, ou Marie Milliet, ou peut-être Catherine Hue.

Pierre Corneille entra à l'Académie Française en 1647.

C'était un homme d'allures simples, peu élégant. A

sa mort, Dangeau, historiographe du roi, écrivit ces mots laconiques : « Aujourd'hui, le bonhomme Corneille est mort. » (1).

Fontenelle montra, toujours, la plus déférente admiration pour son oncle le grand Corneille. Il ne lui ménagea jamais les plus beaux éloges dans la *Vie de Corneille* et dans *l'Histoire de la Comédie française*. (Dans ces ouvrages on remarque que Fontenelle montrait une certaine attirance qui le retenait vers le théâtre du moyen-âge et la poésie des trouvères).

Thomas Corneille (1625-1709) était donc le cadet de la famille. Mais entre eux deux, il y avait eu un frère Antoine (1611-1640) chanoine qui fit l'éloge de Jacqueline, sœur de Pascal. Elle avait obtenu un prix pour les *Palinods*.

Thomas Corneille était un homme très religieux, mais fort éloigné du prosélytisme, tolérant, aimable, brillant en conversations, d'un commerce fort agréable. Sa politesse était exquise et sa mémoire prodigieuse.

Il laissa une fille et un fils François, dont la fille épousa le comte de la Tour du Pin (À cette branche de Thomas Corneille appartenait Charlotte Corday — Charlotte de Corday d'Armont).

— Vers la soixantaine, Thomas nourrissait des projets encyclopédiques. Co-directeur du *Mercure galant,* il en était réellement l'âme ; cette revue avait pris, pour collaborateurs, Boursault, Tallemant des Réaux, Donneau de Visé, Pierre Bayle...

Il régna toujours une harmonie parfaite entre les deux frères (qui avaient épousé les deux sœurs. Ils occupaient des logements voisins, dans la même maison. Même con-

---

(1) Le fils aîné du grand Corneille eut un fils, Pierre, père de Claude-Etienne. Ce dernier eut une fille Mademoiselle Corneille qui obtint une pension en 1792, grâce à Malesherbes.

formité de goûts, de mœurs se poursuivirent sans nuages durant vingt ans de vie commune. (1)

« Thomas, a dit Voltaire, était homme de grand mérite, et d'une vaste littérature. Et, si vous exceptez Racine, qu'il ne faut comparer à personne, il était le seul de son temps, qui fût digne d'être le premier au-dessous de son frère. »

Poète tragique, il publia une pièce intitulée *Timocrate*, qui remporta un énorme succès (2). Mais succès ne signifie pas admiration absolue.

Après avoir lu ce vers de *Phèdre* :

« Je la tue, et c'est vous qui me le faites faire » Boileau lui envoya ces lignes :

« Ah ! pauvre Thomas, tes vers comparés à ceux de ton frère, font bien voir que tu n'es qu'un cadet de Normandie ! »

Il est vrai. Mais, sous le tragédien que l'on pouvait discuter, perçait un érudit de premier plan. Il avait composé un *Dictionnaire des Arts et des Sciences*, qui resta la base du célèbre dictionnaire anglais de Chambers, et de l'Encyclopédie de Diderot et d'Alembert.

D'ailleurs, Fontenelle en rédigea une troisième édition en 1732.

Notons, en passant, que Thomas Corneille reçut son neveu Fontenelle à l'entrée à l'Académie française en 1691.

------

(1) Voisenon que Voltaire appelait « son petit Greluchon » rapporte que lorsque Pierre avait besoin d'une rime, il la demandait, par une trappe séparant leurs logements à Thomas qui la trouvait sans peine. Un jour, Pierre embarrassé « Il me faut une rime à perde ». Et Thomas, pressé en instant, ou facétieux lui renvoya celle que tout le monde devine...

(2) Durant six mois on donna 80 représentations, si bien que les acteurs en exigèrent la clôture, arguant qu'ils allaient oublier tous leurs anciens rôles.

Après avoir salué les deux frères, rendons hommage à leur sœur Marthe, mère de Fontenelle.

M. de Fontenelle, père, François Le Bovier, était un homme de condition, mais de fortune médiocre, exerçant à Rouen la profession d'avocat, avec plus d'honneur que de célébrité. Sa femme donna le jour à quatre enfants :

Joseph, mort en bas âge.

Bernard, le second, qui nous occupe ici.

Pierre, qui vécut trente-trois ans.

Joseph-Alexis (1663-1741).

Ces deux derniers, prêtres, tenaient de leur mère une fervente piété et Bernard en hérita l'esprit.

Il naquit à Rouen le 11 février 1657. Cet enfant, à qui le destin devait réserver un siècle de vie, était d'une faiblesse extrême. On crut le perdre. On le baptisa à la maison, et il ne fut porté à l'église que le 14, date de son extrait baptistaire. (1)

A quelques pas du domicile paternel se trouvait un collège de Feuillants. Thomas Corneille, oncle et parrain donna au nouveau-né, le prénom de Bernard, patron de cette congrégation. L'enfant porta l'habit de cet ordre jusqu'à l'âge de sept ans.

Pendant sa première jeunesse, il fut d'un tempérament fort délicat : à quatorze ans, le jeu de billard était d'un exercice trop violent pour lui, et toute agitation lui faisait cracher le sang. Si la poitrine était délicate,

---

(1) Originairement Le Bouyer. Par la suite l'U voyelle, s'étant changée en V consonne, et l'Y en I français, comme en beaucoup d'autres noms.

Voltaire aussi vint au monde si faible qu'on eût peu d'espoir de le conserver. On se contenta de l'ondoyer. Ce ne fut que neuf mois plus tard qu'il fut baptisé en bonne forme.

l'estomac fut toujours excellent. Il n'a eu qu'une seule maladie dans sa longue existence : une fluxion de poitrine très légère.

Sa mère lui prodigua les soins les plus attentifs, et l'enfant l'aimait passionnément. Il avouait avoir éprouvé moins d'affection pour son père, dont l'humeur était inégale et peu bienveillante.

Madame de Fontenelle, fort cultivée, lui apparaissait comme une manière de mentor littéraire, et il écrivit un jour ces jolies lignes :

« Quand Corneille avait composé un ouvrage, il le lisait à sa sœur qui le pouvait bien juger. Ma mère avait l'esprit fort juste ; et, si la nature s'était avisée de faire un troisième Corneille, ce dernier n'aurait pas été moins brillant que les deux autres, mais, elle a été ce qu'elle devait être, et ce qu'elle a été pour donner à ses frères, une digne héritière de leur mérite et de leur génie. »

Il fit ses études au collège des Jésuites. En rhétorique, à treize ans, il composa, pour le prix des *Palinods* (1) de Rouen, une pièce de vers latins, qui, sans obtenir la couronne, fut, pourtant, jugée digne de l'impression.

La note du jeune Bernard, sur le registre du collège portait la mention suivante :

« Adolescens omnibus partibus absolutus, inter discipulos princeps » soit : Jeune homme accompli en toutes matières, et toujours le premier.

Durant ses études, il avait eu parmi les professeurs le P. Commire. Dès lors, commença, entre eux, une liaison qui ne se ralentit, et ne se démentit jamais. Fontenelle se fit un devoir — en même temps qu'un plaisir —

_____

(1) Palinods, ancien nom que le XIV* siècle donnait aux pièces consacrées à la Vierge.

de traduire en vers français, des poésies latines dues à la plume de ce Maître éminent. (2) (3)

Après divers essais littéraires, ou scientifiques, Bernard, par déférence pour la volonté paternelle, consentit à faire son droit. Inscrit au barreau, il plaida une seule cause et la perdit. Cet échec lui permit de renoncer pour toujours à une situation abordée sans le moindre enthousiasme.

Dorénavant, on trouvera en Fontenelle un essayiste, un tragédien, un philosophe, un critique, un mathématicien, un librettiste, un cosmographe, et, de loin en loin, un sociologue qui s'ignore.

Venu du premier des grands siècles classiques de notre histoire, il resta, d'abord, un étonnement pour le second, qui, bientôt, découvrit et reconnut en lui un novateur, un orienteur des esprits vers les idées encyclopédiques.

Ne semble-t-il pas qu'on pourrait, à bon droit, le définir en ces termes heureux que le comte Albert de Mun devait dire, plus tard, d'un grand savant du XIXᵉ siècle : « Une moitié de son âme était retenue au passé, l'autre moitié tournée vers l'avenir. »

Il vint, pour la première fois à Paris, à l'âge de dix-sept ans, en 1674. Comme on lui demandait s'il avait vu Molière : « Non, répondit-il, je ne suis arrivé à Paris qu'un an après sa mort. » Le génial comique était décédé depuis février 1673.

A cette époque, Fontenelle trouvait en lui l'étoffe d'un

---

(2) Commire (1625-1702) jésuite, se fit connaître par un recueil de poésies latines (1678) absolument remarquable par l'élégance et la grâce du style.

(3) On le plaisantait sur ses productions de jeunesse. « Oui, j'ai fait des vers grecs et latins, aussi beaux que ceux d'Homère et de Virgile : vous jugez bien comment, je les ai pris dans ces deux poètes. »

poète. Il collaborait au *Mercure Galant*, fondé en 1692 par
Donneau de Visé (1)

Ce journal publia un amusant sonnet que Fontenelle
avait composé, pour une jeune fille, dont il était amoureux, et qui désirait qu'il lui apprit l'espagnol.

Parce que l'espagnol est une langue fière,
Je vous le dois apprendre. Eh ! bien soit, commençons :
Mais ce que je demande à ma belle Ecolière
C'est de ne se servir jamais de mes leçons.

Déjà, si fièrement votre âme indifférente
Impose à mon amour qu'il ne faut point aimer,
Que même en espagnol y fussiez-vous savante
Vous auriez de la peine à vous mieux exprimer.

Croyez-moi, le français vaut bien qu'on le préfère
A la rude fierté d'une langue étrangère.
De ce qu'il a de libre, empruntons le secours.

Mais que, de son côté, l'espagnol se console,
Car ne pourrions-nous pas mêler dans nos amours
Et fierté française et constance espagnole ?

---

(1) Donneau de Visé (1638-1710) critiqua vivement Molière
dans sa revue. Il fut, d'autre part, accusé de plagiat par Quinault.
La Bruyère, à son tour, attaqua le *Mercure Galant,* il en
traitait les écrivains de « gazetiers ».
  « De Visé, cependant en fait sa nourriture,
  Et Corneille s'en lèche les doigts. »

ŒUVRES MINEURES

Bernard de Fontenelle regagna Rouen l'année suivante. Il concourut pour un prix de poésie à l'Académie Française en envoyant une pièce de vers. Il fut battu par La Monnoye (1), et le fut à nouveau en 1672. (2)

Thomas Corneille encouragea sans cesse, et avec le plus vif intérêt, les débuts littéraires de son filleul. Il entrevoyait son épanouissement prochain.

A ses yeux, Pierre Corneille représentait le passé, lui, Thomas le présent, et le jeune Fontenelle serait l'avenir. Il favorisa l'entrée de son neveu au *Mercure Galant* qui publia l'*Amour Noyé* et divers articles non signés, que le public attribua à Thomas, ou à de Visé. Quelques-uns, assez spirituels, et de bonne facture, furent goûtés des honnêtes gens, tel *Histoire de mes conquêtes*, portrait fort ressemblant de lui-même.

Son protecteur écrivit dans sa revue un article fort élogieux sur le premier des ouvrages de Bernard de Fontenelle. Il anticipait sur une appréciation qu'on se serait attendu à lire vingt ans plus tard.

« Ces vers sont de M. de Fontenelle qui, à l'âge de vingt ans, a plus d'esprit qu'on en a d'ordinaire à 40. Il

---

(1) La Monnoye (1641-1738) avocat, de l'Académie française, était un poète du terroir bourguignon.
(2) L'Académie lui avait encore préféré Madame Deshoulières, (1638-1694) femme de lettres, femme savante. Sa fille, Mlle Deshoulières (1662-1718) édita les œuvres de sa mère.

est de Rouen, il y demeure, et plusieurs personnes de la plus haute qualité qui l'ont vu à Paris disent que c'est un meurtre de le laisser dans la province. Il n'y a point de science sur laquelle il ne raisonne solidement, mais il le fait d'une manière très aisée, et qui n'a rien de la rudesse des savants de profession. Il a l'esprit fin, galant, et délicat. » (3)

Devant ces premiers succès prometteurs, M. de Fontenelle, père se laissa fléchir, revint sur sa décision impérative, et le jeune homme put enfin, se fixer définitivement à Paris, pour plus de trois quarts de siècle.

Gresset disait, à la même époque :

« On ne vit qu'à Paris, on végète ailleurs. »

Paris a toujours été le rendez-vous général de tous les grands talents.

En 1681, parut la *Comète,* comédie en un acte, sous la signature Donneau de Visé, mais en réalité de la plume de Fontenelle. C'était une pièce philosophique et comique à propos de la fameuse comète de 1680. Il y combattait le préjugé, fort tenace en ce temps, que les comètes sont des annonciatrices de malheurs et de catastrophes.

A la même époque Pierre Bayle publia, année 1682, *Lettre sur la Comète,* en laquelle il prouvait que ces météores ne peuvent avoir aucune influence ni physique, ni morale sur notre globe. (1)

---

(3) L'Empereur Julien, un des premiers amoureux de Paris disait : « Lutèce (Paris) comprend tout, pardonne tout même de vivre en philosophe. »

Et Montaigne : « Paris a mon âme dès mon enfance. Je ne suis Français que par cette grande cité, grande surtout et incomparable en variété, la gloire de la France, et l'un des plus nobles ornements du monde. »

(1) Dépassant cette assertion, Bayle y soutenait des thèses assez hardies alors : un athée peut être un honnête homme... et une société d'athées peut exister.

Dorénavant Fontenelle signera ses productions. Il fit paraître sa tragédie *Aspar* (2). Elle lui avait coûté de longues veilles, mais ce fut un échec complet. Elle tomba lourdement ; de dépit il jeta le manuscrit au feu. Désormais, la tragédie ne le tenta plus.

Cette affaire passionna, un moment, les cercles littéraires. Une épigramme de Racine a conféré à cette pièce une quasi-célébrité :

> Bovier apprit au parterre à bâiller.
> Quant à Pradon, (3) si j'ai bonne mémoire,
> Pommes sur lui volèrent largement.
> Mais quand sifflets prirent commencement
> C'est à l'Aspar du sieur de Fontenelle
> C'est (j'y étais, j'en suis témoin fidèle).

Profondément irrité, Pradon se vengea en attaquant *Esther et Athalie*. Puis, il braqua son projecteur sur Boileau et sa satire contre les Femmes et il décocha ses traits à l'adresse de l'auteur de *l'Art poétique*.

> Quand Despréaux fut sifflé sur son ode
> Ses partisans criaient dans tout Paris :
> « Pardon, Messieurs, le pauvret s'est mépris
> Plus ne louer, ce n'est pas sa méthode.
> Il va draper le sexe féminin.
> A son grand nom vous verrez s'il déroge.
> Il a paru cet ouvrage malin
> Pis ne vaudrait quand ce serait éloge.

---

(2) Aspar, patriote byzantin du Ve siècle, consul un moment tout puissant, assassiné par son rival Léon Ier.

(3) **Pradon** (1632-1698) auteur très discuté. Taxé d'ignorance par Boileau. Une polémique s'ouvrit au sujet de *Phèdre*.

Comme le Prince de Conti lui faisait observer, un jour qu'il avait mis en Europe, une ville d'Asie : « Excusez-moi, Monseigneur, répondit Pradon, je ne sais pas bien la chronologie. »

Vers 1689, Fontenelle donna *Thétis et Pelée*, imité de Catulle qui reçut un accueil des plus favorables, Librettiste Fontenelle eut pour compositeur Colasse. (1) C'est le seul opéra de ce musicien, élève de Lulli qui soit resté au théâtre.

Puis, voici les *Pastorales*. Fontenelle y paraît quelque peu affecté et maintes critiques sur les anciens étonnent singulièrement le lecteur. (2) « Les églogues de Virgile sont trop pompeuses, et les bergers de Théocrite trop bergers. Théocrite est d'une grossièreté repoussante. »

Son ubiquité littéraire l'égarait dans bien des domaines. « Eschyle est un fou qui a des idées de génie. Euripide injurie les femmes, mais Aristophane se fait beaucoup pardonner, parce qu'il est plaisant et dit de fort bonnes choses. »

Jean-Baptiste Rousseau, qui n'était pas de ses amis, lui lança cette maligne épigramme :

Depuis trente ans, un vieux berger normand
Aux beaux esprits s'est donné pour modèle.
Il leur enseigne à traiter galamment
Les grands sujets en style de ruelle.
Ce n'est pas tout : chez l'espèce femelle,
Il brille encore malgré son poil grison :
Il n'est caillette, en honnête maison
Qui ne se pâme en sa douce faconde,
En vérité, caillettes ont raison :
C'est le pédant le plus joli du monde.

---

(1) Colasse (1649-1709), auteur d'un grand nombre de motets et de cantates pour la chapelle et la chambre de Louis XIV.

(2) La poésie pastorale est, apparemment, la plus ancienne de toutes.

DE LA PRÉCIOSITÉ A LA PHILOSOPHIE

C'est vers 1683 que Fontenelle publia les *Dialogues des Morts*, genre un peu froid, mis à la mode par Fénelon. (1) Dans cet ouvrage, on relève des rapprochements ou jugements assez inattendus : on y apprend que Platon était galant et que Phryné se présente comme moraliste. (2)

Ce livre attira l'attention sur l'auteur de 28 ans. Il éveille les critiques violentes du jésuite Baltus, et celles du P. Le Tellier, confesseur du roi ; on le jugea dangereux. Par bonheur, le P. Tournemire, que Fontenelle connaissait, depuis le collège de Rouen, prit sa défense dans le *Journal de Trévoux*. D'autre part, le marquis d'Argenson s'entremit pour empêcher le pouvoir séculier d'engager des poursuites.

Les *Entretiens sur la Pluralité des Mondes* sont une des œuvres maîtresses de Fontenelle, qui allaient le révéler au grand public et de surcroît, lui donner un fauteuil à l'Académie des Sciences.

Cet ouvrage, fort bien ordonné, et d'une écriture facile franchissait, allègrement, le mur de la science. Il connut

---

(1) Socrate disait, touchant les Dialogues des Morts : « Prenez garde à une chose, l'antiquité est un sujet d'une espèce particulière, l'éloignement le grossit. »

(2) Phryné, courtisane d'une grande beauté, modèle de Praxitèle (et, de nos jours, de Pradier).

un succès mérité, et trouva, dans tous les milieux, un enthousiaste accueil. Il eut une presse excellente.

L'auteur suppose qu'il se trouve, à la campagne chez une marquise. Astronome, pour quelques jours, il entreprend de lui dévoiler le système des astres et des mondes habités.

Chaque soir, on se promène dans le parc, par des nuits magnifiques. La marquise montre un esprit curieux, et Fontenelle est un brillant et séduisant causeur, qui parvient aisément à convaincre ses interlocuteurs.

Le premier soir, il montre que la terre est une planète qui tourne sur elle-même autour du soleil. Le second soir « que la lune est une terre habitée ». Le troisième soir « que les autres planètes sont aussi habitées ». Au quatrième soir, « il expose les particularités des mondes de Vénus, de Mercure, de Jupiter, de Mars et de Saturne ». Le cinquième soir est consacré « aux étoiles qui sont autant de Soleils, dont chacune éclaire un monde ». Et, pour le dernier soir, sa causerie roule sur les dernières découvertes qui ont été faites dans le ciel.

L'auteur disait, à propos de la Lune :

« Voici ce qui me fait pencher du côté des habitants de la Lune. Supposons qu'il n'y ait jamais eu nul commerce entre Paris et Saint-Denis, et qu'un bourgeois de Paris, qui ne soit jamais sorti de la ville, soit sur les tours de Notre-Dame, et voit Saint-Denis de loin. On lui demande s'il croit que Saint-Denis est habité comme Paris. Il répondra, hardiment que non, et, dira-t-il, je vois bien les habitants de Paris, mais ceux de Saint-Denis, je ne les vois point, on n'en a jamais entendu parler. Saint-Denis n'est donc pas habité... C'est la Lune et chacun de nous est ce bourgeois de Paris qui n'est jamais sorti de sa ville. »

Dans ce livre, Fontenelle a vulgarisé la philosophie de Descartes, et fait connaître le système de Copernic.

Les premiers entretiens de la Pluralité donnent peut-être une trop large place au « bel-esprit ». Mais, à mesure que les pages se tournent, le sérieux se développe, et c'est tout simplement l'esprit, l'entendement, qui d'une seule coulée rend attrayante la science présentée.

Le besoin se faisait alors sentir d'une telle présentation, agréable aux yeux du public avide de connaissances exactes, scientifiques, « philosophiques » suivant la terminologie du XVIIIᵉ siècle.

Le succès fut prodigieux et la *Pluralité* se vit traduire dans toutes les langues. Les honnêtes gens apprirent ainsi qu'ils pouvaient, qu'il leur était possible de pénétrer dans les arcanes de la science sans préparation préalable.

On pouvait lire ces pages avec le même plaisir ressenti à savourer *l'Astrée* et la *Princesse de Clèves* (1 et 2).

Dans une lettre charmante — et d'ailleurs bien connue — Voltaire, dont le jugement faisait autorité, écrivait à Fontenelle :

« Vous savez rendre aimables les choses que beaucoup d'autres philosophes rendent à peine intelligibles, et la nature devait à la France, à l'Europe un homme comme vous, pour corriger les savants, et pour donner aux ignorants le goût des sciences. »

Puis, dans le *Temple du Goût,* Voltaire en hommage au savoir universel de Fontenelle, et le rangeant parmi les hommes éminents du XVIIIᵉ siècle écrivait :

---

(1) C'est le roman pastoral d'Honoré d'Urfé d'un charme délicieux qui exerça une très profonde influence sur la littérature des XVIIᵉ et XVIIIᵉ siècles.

(2) Peu après qu'eût paru ce roman, Fontenelle écrivit à un ami : « Je sors, présentement, Monsieur, d'une lecture, la quatrième, de la *Princesse de Clèves*. Et c'est le seul ouvrage de cette nature que je l'ai pu lire quatre fois. Vous m'obligeriez fort, si vous vouliez bien dire que ce que je viens de vous dire passe pour un éloge. »

« C'était le discret Fontenelle
Qui, par les beaux arts attiré,
Répandait sur eux, à son gré,
Une clarté vive et nouvelle,
D'une planète, à tire-d'aile,
En ce moment il revenait
Dans ces lieux où le goût tenait
Le siège heureux de son empire.
Avec Mairan (1) il raisonnait
Avec Quinault il badinait.
D'une main légère il prenait
Le compas, la plume et la lyre. »

Mais, il fit mieux encore. Il prouvait aux savants eux-mêmes qu'il leur était permis, dorénavant, de se faire entendre du public moyen, des gens du monde.

Car, nul autre écrivain avant lui, n'avait jamais porté une telle somme de clarté, de précision et d'élégance dans l'explication des connaissances scientifiques, qui, jusque là ne pouvaient être entendues qu'avec le secours de la langue mathématique.

Il a rendu la science accessible à tous sans l'abaisser. Fontenelle est resté un savant pour ses confrères, puis il est devenu un lettré aux yeux des gens cultivés, et des membres des Académies.

Bacon, Galilée, Descartes, Képler étaient plus grands initiés qu'initiateurs. Fontenelle, lui, eut un double but : faire communiquer les savants entre eux — les révéler au public. Car il jugeait la « vulgarisation indispensable entre les sciences et les ignorants, ou les mal informés. »

Fontenelle entra à l'Académie des Inscriptions et Belles Lettres, en 1687, après qu'eut paru son ouvrage,

_____

(1) Mairan (1678-1771) secrétaire perpétuel de l'Académie des Sciences en 1740 (après Fontenelle) physicien, chimiste, litttérateur, écrivain de grande élégance.

Histoire des Oracles. Il y montre avec force ses idées
« philosophiques » : il est disposé à rejeter des croyances
anciennes pour se tourner, définitivement, vers les données de la pure raison.

Ce livre est, en quelque sorte, un résumé de celui du
Hollandais Van Dale. Il y réfute quelques théologiens, et,
dès lors s'affirme sa tendance à attaquer les anciens et
leur naïve crédulité.

Cette histoire demeure la plus hardie de toutes ses
productions philosophiques et littéraires lui valut
la haine des « dévots » (1).

Les oracles, assure-t-il sont engendrés par la supers-
tition, la fourberie des prêtres du paganisme, et non des
démons.

A l'arrivée de Jésus-Christ on y croyait encore. Il rappelle des contes puérils, cite des livres apocryphes, sub-
terfuges que l'église imaginait pour accréditer le christianisme, et qu'elle a peu à peu rejetés sur sa route, comme
un fardeau encombrant et trop lourd (2).

Fontenelle cite un certain nombre de faits de super-
cherie dont entre autres, le suivant :

« A la fin du XVIᵉ siècle le bruit courut en Silésie
qu'un enfant avait perdu une dent et qu'il lui en était
poussé une en or. Le professeur Hertzius trouva une

---

(1) Un autre libelle, attribué à Fontenelle *Relation curieuse
de Bornéo* attira la colère des confits en dévotion. C'était une
piquante allégorie de Mero (Rome) Ernegu (Genève) qui se
disputent l'héritage de leur mère Glisée (Eglise).

Cette brochure avait été reproduite dans la *République des
Lettres* de Pierre Bayle, un des précurseurs les plus mar-
quants de la libre philosophie de Voltaire et des Encyclopédistes.

(2) Mais déjà les Anciens mettaient en garde contre les
interprétations tendancieuses des oracles. Herodote disait
« Ce qui distingue à jamais l'Héllène du barbare, c'est qu'il
fut toujours raisonnant et dégagé de toute crédulité sotte. »

explication, qui, pour être ingénieuse, n'en était pas moins inattendue et de nature à plaire aux croyants. C'était un miracle providentiel pour consoler les chrétiens affligés par les Turcs. De nombreux savants alimentèrent leurs chroniques avec les circonstances de ce fait miraculeux. »

Mais, dit Fontenelle : « Il manquait une chose à tant de beaux ouvrages et la dent était-elle en or ? On finit par où on aurait dû commencer, on montra qu'une feuille d'or avait été appliquée avec beaucoup de soin sur une dent naturelle. »

Dans une lettre de 1708, Voltaire écrivait à Sir Horace Walpole : « J'ai toujours pensé, comme vous, qu'il faut se défier de toutes les histoires anciennes ! Fontenelle, le seul homme du siècle de Louis XIV qui fut, à la fois poète, philosophe et savant, disait qu'elles étaient des fables convenues. » (1).

Des esprits étroits donnaient un préjugé favorable à l'antiquité parce qu'ils avaient du chagrin contre leur siècle. On grandissait les anciens pour abaisser les modernes.

Si des Anciens avaient tout inventé c'est qu'ils avaient plus d'esprit que nous, avançait-on. Point du tout. Mais ils étaient venus avant nous.

« J'aimerais autant, selon Fontenelle, qu'on les vantât de ce qu'ils ont bu les premiers l'eau de nos rivières, et qu'on nous insultât sur ce que nous ne buvons plus

---

(1) Dans le désir de clore les disputes littéraires suscitées par *l'Histoire des Oracles* — et, sans doute aussi pour faire preuve, ou montre de conformisme, — Fontenelle écrivit à Leclerc, un de ses correspondants :

« Enfin, je n'ai point du tout l'humeur polémique, et toutes mes querelles me déplaisent. J'aime mieux que le diable ait été prophète, puisque le Père Jésuite le veut et qu'il croit cela plus orthodoxe. »

que leurs restes. S'ils étaient en notre place, ils ajoute-
raient à ce qu'ils trouveraient à inventer. »

Et il faisait cette réflexion :

« La terre ressemble à de grandes tablettes, où chacun veut écrire son nom. Quand ces tablettes sont plei-
nes, il faut bien effacer les noms qui y sont inscrits déjà,
pour en mettre de nouveaux. Que serait-ce si tous les
monuments anciens subsistaient ? Les Modernes ne sau-
raient plus où placer les leurs. »

ANCIENS ET MODERNES

Le début du siècle de Louis XIV fut une « époque » au sens où l'entendait Bossuet, « un des moments où l'humanité s'arrête dans sa course incessante pour se savourer, pour se contempler elle-même. »

« Les Anciens sont les Anciens, écrivait Molière dans les *Femmes savantes,* et nous sommes les gens de notre temps. »

Tout en prêtant une oreille attentive et complaisante aux échos et rumeurs de l'antiquité, Fontenelle ne laissait pas de promener ses regards curieux sur les possibilités de l'avenir.

Il se trouva donc mêlé au choc des conceptions des diverses cultures et tendances de son temps, c'est-à-dire à la querelle des Anciens et des Modernes, fourvoyé qu'il était entre deux époques, la classique et l'encyclopédique. Gardant la mémoire d'un siècle finissant, il préparait la venue d'un siècle qui affirmerait une personnalité nouvelle.

Les travaux d'un homme de science prennent une trop grande place dans sa vie pour qu'on puisse séparer leurs histoires, qui, parfois, se confondent et s'éclairent mutuellement.

« Il a régné une telle harmonie entre ses écrits, ses principes et sa conduite que le récit de son existence, quoique peu variée et ne possédant rien d'extraordinaire, nous intéresse comme la peinture d'un de ces personnages achevés que notre imagination nous représente exempte des incohérences, qui, dans la vie commune, déparent les caractères les plus distingués et déconcerte les jugements. » (Michaud).

Sa solide formation classique lui a valu cet heureux équilibre, qui est la marque de sa brillante carrière, et qui se retrouve au long de ses œuvres.

Comment débuta cette fameuse querelle ?

D'abord, sur le plan intellectuel et dans le domaine artistique une magnifique floraison « moderne » s'était manifestée. Puis, les sciences, par leur développement réclamaient leur juste place dans la marche de l'esprit.

C'était encore un besoin de l'individualisme français, qui prétendait secouer le joug des traditions imposées et des données de l'idée chrétienne, que d'aucuns jugeaient trop étroites.

A ces controverses prirent part un nombre important d'écrivains et d'hommes de lettres, Madame Dacier, La Motte, Fontenelle, Boileau, Molière, La Bruyère, Deshoulières, Boisrobert, Desmarets de Saint-Sorlin, Perrault (Charles) (1) et bien d'autres.

Fontenelle vit son entrée sous la Coupole différée quatre fois. Peut-être le considérait-on comme trop détaché du classicisme ?

Puis l'Académie avait reçu un livre, présenté en vue d'un prix, intitulé *Eloge de la révocation de l'Edit de Nantes*. Ce livre, attribué à Fontenelle, avait été composé effectivement par Mademoiselle Bernard. Cette partialité fut jugée excessive sans doute, malgré que l'on fut sous le règne de Madame de Maintenon.

_____

(1) Charles Perrault (1628-1703), frère de l'architecte de la Colonnade du Louvre, membre de l'Académie française. Il fut constamment attaqué par Boileau. Il doit encore sa célébrité à son ouvrage paru en 1697 *Histoires et contes du temps passé,* qui a connu un nombre prodigieux d'éditions.

Madame Deshoulières avait fait une chanson maligne sur le candidat et mis les rieurs de son côté.

Les opposants officiels s'appelaient Racine et Boileau. Enfin, il fut élu le 5 mai 1691. Il succédait à M. de Villayet, un des grands commis de ce règne.

Quelques jours plus tard, Racine et Boileau eurent regret de leur attaque contre Fontenelle et le premier écrivit un jour au second : « Je suis, comme vous, tout consolé de la réception de M. de Fontenelle. »

Loin de jeter un voile sur l'antiquité, Fontenelle a posé la question des Anciens, avec franchise, comme devaient le faire à leur tour les encyclopédistes.

« Un bon esprit est, pour ainsi dire, composé de tous les esprits des siècles précédents. Ce n'est qu'un même esprit qui s'est cultivé pendant tout ce temps-là. Il est, maintenant, dans l'âge de virilité, où il raisonne avec plus de force et de lumière que jamais. Cet homme-là n'aura point de vieillesse. Les hommes ne dégénèreront jamais, et les vues saines de tous les bons esprits se succèderont, s'ajouteront toujours les unes aux autres (2).

Il sait, d'ailleurs, distinguer les différents objets du progrès.

« Afin que les modernes puissent toujours renchérir sur les anciens, il faut que les choses soient d'une espèce à le permettre. Pour l'éloquence et la poésie, qui sont le principal sujet de contestation entre les anciens et les

_____

(2) Il faut que les merveilles qu'un siècle transmet à l'autre comme la plus belle part de son héritage soient exposées aux regards du public (Pline).

Et La Bruyère : « L'on ne peut que glaner après les Anciens, et les habiles d'entre les modernes. » (Il a eu un mot assez dur pour Fontenelle qui « ne présente que des gentillesses précieuses ». C'était le rayer des vulgarisateurs et des préencyclopédistes.

Madame de Sévigné : « Les Anciens sont beaux, mais nous sommes plus jolis. »

modernes, quoiqu'elles ne soient point en elles-mêmes
fort importantes, je crois que les anciens en ont pu attein-
dre la perfection. Contentons-nous de dire qu'ils ne peuvent être surpassés, ne disons pas qu'ils ne peuvent être
égalés. »

Dans ses *Caractères*, La Bruyère a maintes fois
dépeint Fontenelle sous le pseudonyme Cydias (1).

« Cydias est un bel esprit, c'est sa profession. Il a
une enseigne, un atelier, des ouvrages de commande, et
des compagnons qui travaillent sous lui (2). Il ne saurait
rendre de plus d'un mois les stances qu'il vous a promi-
ses. Une idylle est sur le métier pour Crantor qui le
presse, et lui laisse espérer un riche salaire. Prose, vers,
que voulez-vous? Il réussit également l'un ou l'autre.

« Demandez-lui des lettres de consolation, ou sur une
absence. Il les entreprendra, prenez-les toutes faites et
entrez dans son magasin, il y a à choisir.

« Il a un ami qui n'a d'autre fonction sur la terre que
de le promettre longtemps à un certain monde (3), et de
le présenter enfin, comme un homme rare et d'une
exquise conversation ? Et là, ainsi que le musicien
chante, et que le joueur de luth touche son luth devant
des personnes à qui il a été promis, Cydias, après avoir
toussé, relevé ses manchettes, étendu la main et ouvert
les doigts, débite, gravement ses pensées quintessenciées
et ses raisonnements sophistiqués.

« Il n'ouvre la bouche que pour contredire. Il me sem-

---

(1) **Cydias**, ce mot vient du grec « kudian » se glorifier.
(2) Il est donc représenté ici comme un entrepreneur de
littérature. On comprend aisément que Fontenelle se soit
profondément froissé d'être comparé à un saltimbanque.
(3) Peut-on être Donneau de Visé ? Ou encore l'abbé de
Saint-Pierre. On rappelle que, — à son insu probablement —
il avait repris et amplifié les idées de Sully, en présentant son
célèbre projet de Paix perpétuelle.

ble, dit-il, gracieusement, que c'est tout le contraire de ce que vous dites, ou bien : Je ne saurais être de votre avis, ou bien encore : Cela a été, autrefois, mon entendement, comme il est le vôtre aujourd'hui... Il y a trois choses à considérer, et il en ajoute une quatrième.

« Fade discoureur qui n'a pas plutôt mis le pied dans une assemblée qu'il cherche quelques personnes auprès desquelles il puisse s'insinuer, se parer de son bel esprit, ou de sa philosophie.

« Cydias s'égale à Lucain et à Sénèque, se met au-dessus de Platon, de Virgile et de Théocrite. Et son flatteur a le soin de le confirmer tous les matins dans cette opinion.

« Uni de goût et d'intérêt avec tous les contempteurs d'Homère, il attend, paisiblement que tous les hommes détrompés lui préfèrent les poètes modernes. Il se met, en ce cas, à la tête de ces derniers, et il sait à qui il adjuge la seconde place...

« C'est, en un mot, un composé de pédant et de précieux, fait pour être admiré de la bourgeoisie, et de la province, en qui, néanmoins on n'aperçoit rien de grand que l'opinion qu'il a de lui-même... »

Moins sévère, mais combien pittoresque, ce jugement de Sainte-Beuve : « Fontenelle offre les vérités, bonbonnière en mains, absolument comme on offrirait des dragées ou des pastilles, ou, si vous voulez, c'est le philosophe du menuet, sur les airs de M. de Benserade. »

MATHÉMATIQUES — SCIENCES EXPERIMENTALES

C'est à Thomas Corneille que l'on doit la détermination que prit Fontenelle de s'attacher à l'étude des sciences (1) au lieu de continuer à marcher, sans grand succès, dans la carrière de bel-esprit. C'est encore lui qui avait conçu, un des premiers, l'idée de mettre les connaissances, les sciences les plus abstraites accessibles à tous par une exposition claire et logique de leurs principes essentiels.

Un des plus grands titres de gloire de Fontenelle, c'est d'avoir humanisé et popularisé la science. Il a su amener la philosophie à se dépouiller de sa sécheresse pour les gens du monde, tout en respectant le ton technique que demandent les savants. Son but est de dévoiler aux gens du monde manquant de l'initiation scientifique, les travaux de Tournefort, Leibnitz, Newton, Montmort, Cassini, Du Fay. Il analyse avec sûreté les problèmes de physique, chimie, botanique, chirurgie.

Ainsi était-il parvenu, avec souplesse, à inspirer l'admiration et l'amour des questions embrassant un domaine jusque-là ouvert seulement aux élites.

Dès lors, on le voit se diriger vers le devenir. Après

_____

(1) Dans la *République des Lettres,* Pierre Bayle avait signalé, en son temps, un mémoire de Fontenelle traitant des propriétés du nombre 9.

sa période « précieuse » d'attente, d'essais, il formait son personnage futur.

Sa brochure *Utilité des Mathématiques* débute ainsi :

« On traite volontiers d'inutile ce que l'on ne sait pas. C'est une espèce de vengeance ; et, comme les mathématiques et la physique sont généralement inconnues, elles passent assez souvent pour inutiles. La source de leur malheur est manifeste : elles sont épineuses, sauvages, et d'un accès difficile.

« Les mathématiques donnent à notre raison l'habitude et le premier pli du vrai. »

Dans la *Théorie des tourbillons cartésiens,* suite de réflexions sur l'attraction newtonienne, il fait savoir qu'il avait beaucoup appris au contact du grand mathématicien Varignon, dont il prononça l'éloge (2).

Rien n'est plus admirable que les sciences expérimentales, où tout se démontre par le raisonnement.

« Tout ce que la raison ne comprend pas est faux », Fontenelle rejette, en ces matières, les apports de la révélation et de la tradition.

Disciple de Descartes, il sait et proclame la nécessité de sérier les questions, et le recours à l'expérimentation.

« Comme on s'est avisé de consulter sur les choses naturelles, la nature elle-même plus que les anciens, elle se laisse aisément découvrir, et, assez souvent pressée par de nouvelles expériences que l'on fait pour la sonder, elle accorde quelques-uns de ses secrets.

« Le grand art des expériences n'a qu'un but, donner

---

(2) C'est Bernoulli qui avait donné à Varignon (1654-1704) les premières notions du calcul différentiel. Ce géomètre, disciple d'Euclide, entra à l'Académie des sciences en 1688. Il accueillit, d'emblée, les exposés de Fontenelle sur les infiniment petits, dont il avait publié une étude très poussée.

des faits simples qui, rapprochés d'après leur nature, donnent des lois. »

Et sur ce point élevé, le plus élevé de la méthode expérimentale, il ajoutait :

« Le temps viendra peut-être que l'on joindra, en un corps singulier, les membres épars des différents éléments de la science, et, s'ils sont tels qu'on les souhaite, ils s'assembleront d'eux-mêmes, en quelque sorte.

« Il faut tendre à la synthèse. Plusieurs vérités séparées, dès qu'elles sont en assez grand nombre, offrent si vivement à l'esprit leurs rapports et leur mutuelle dépendance, qu'il semble, après avoir été détachées par une espèce de violence, les unes d'avec les autres, qu'elles cherchent, naturellement à se réunir. »

Pressentant et souhaitant la création d'un véritable Ministère des inventions, de la recherche scientifique, assorti de vastes laboratoires, Fontenelle s'exprimait ainsi :

« Pour cet amas de matériaux, il n'y a que des compagnies ; et des compagnies protégées par le Prince, qui puissent réussir à le faire et à le préparer. Ni les lumières, ni les soins, ni la vie, ni les facultés d'un particulier n'y suffiraient. Il faut un trop grand nombre d'expériences, il en faut de trop d'espèces différentes, il faut trop répéter les mêmes, il faut les varier de trop de manières, il faut les suivre trop longtemps avec le même esprit...

« Jusqu'à présent, l'Académie ne prend la nature que par petites parcelles, il faut un système général.

« Jamais mathématicien disait Basnage (1) ne fut plus homme d'esprit. On prétendait, en 1702, que les mathématiques gâchent et dessèchent l'esprit. M. de Fon-

_____

(1) Basnage d'une famille de notables bourgeois protestants, dont Henri (1656-1710) collaborateur de Pierre Bayle.

tenelle pourrait servir de preuve pour réfuter la triste idée qu'on se fait des mathématiques. »

« Il n'apporte point dans le monde l'air distrait et rêveur des géomètres ? Il ne parle point en savant qui ne connaît que les termes de l'art. Le système du monde, qui, pour un savant, serait la matière d'une dissertation dogmatique qu'on ne pourrait entendre qu'avec un dictionnaire, devient, entre ses mains, un badinage agréable. Et, quand on a cru, seulement se divertir, on se trouve quasi habile en astronomie, sans y penser. »

Et sans doute, dans ses recherches pour parfaire son savoir suivait-il ce précepte de Descartes : « Toutes les choses que j'ai faites avec un cœur gai, ont coutume de me succéder heureusement. »

Sur plus d'un point il est un disciple de Descartes, le plan de la science en fixant des idées flottantes.

Tout effort mérite réussite : Ce grand savant est parvenu, avec bonheur, à trouver et à répandre le style approprié aux productions scientifiques.

« La science, c'est la marche vers l'avenir, transformant par degrés l'abondance confuse des sensations primitives, en un système de connaissances bien ordonnées et bien liées. Elle n'est pas autre chose que le passage du multiple à l'un, de l'incohérent à l'intelligible.

« Toutes les sciences se tiennent et se pénètrent, cas particuliers d'une science unique, elle-même coordination de tous les phénomènes par des rapports mathématiques (1).

Ailleurs, et faisant allusion à cette unité du savoir, Fontenelle écrivait :

« La physique était alors comme un grand royaume démembré, dont les provinces du gouvernement seraient

---

(1) « Science et littérature se confondent. » (Jean Rostand).

devenues des souverainetés indépendantes ; l'astronomie, la mécanique, l'optique, la chimie, étaient des sciences à part qui n'avaient plus rien de commun avec ce
qu'on appelait physique.

« Celle-ci, dépouillée et appauvrie, n'avait plus, pour
son partage que des questions, qui toutes alors, res-
taient épineuses et stériles. »

De tout temps, et, particulièrement, au cours des deux
grands siècles de notre histoire, les élites s'employèrent
à dresser d'immenses synthèses du savoir universel qui
s'intitulaient « Encyclopédies », pour revêtir, d'un vocable audacieux et magnifique la réalisation et le progrès
des hardiesses dépassées (1).

_____

(1) Henri Poincaré, un des plus illustres mathématiciens
de tous les temps, qui appliqua systématiquement l'analyse
à la physique, à la mécanique, à l'astronomie, a dit un jour :

« Les connaissances scientifiques sont une sphère lumi-
neuse entourée par l'ombre indéfinie du mystère. Chaque
découverte nouvelle, en dilatant la sphère de lumière, ne fait
qu'étendre, plus loin encore, le champ d'ombre où elle baignait. »

DEUXIEME PARTIE

HISTOIRE DE L'ACADÉMIE DES SCIENCES

Qu'est-ce donc que la science ? Quelle acception prenait ce mot au temps de Fontenelle ?

A la Renaissance, ce terme valait « savoir » ou encore « érudition ». Des érudits, jusqu'au milieu du XVIIᵉ siècle, c'était un vocable qui désignait : théologiens, historiens, gens cultivés en tous domaines, en somme des pré-Chartistes.

Pour leurs contemporains, les Galilée, Descartes, Pascal, Huyghens, Harvey, Swammerdam passaient pour des *curieux*. Pour les lecteurs de Molière, les Femmes savantes seraient des curieuses qui voulaient avoir des « clartés de tout ».

Bientôt allait se manifester un sens nouveau, interprétation appliquée aux intellectuels en général. *Le Journal des Savants* accordait plus de place aux articles littéraires qu'aux chroniques scientifiques.

D'autre part, les nouvelles de la *République des Lettres* s'attachaient davantage aux mémoires touchant les mathématiques, la chimie, la physique, la botanique, l'astronomie.

Ainsi, la pensée littéraire abondait dans ce premier journal et la pensée scientifique trouvait bon accueil dans la seconde revue. Il y avait donc une sorte d'interpénétration.

Mais, précisément vers les dernières années du XVIIᵉ

siècle on se faisait une idée plus poussée de la science, des sciences, et les savants étaient à l'honneur.

La Fondation de l'Académie des Sciences répondait à un véritable besoin.

Ce que Richelieu avait fait pour l'Académie française, Colbert, Louis XIV et Fontenelle allaient le tenter — et le réussir — pour l'autre et nouvelle Compagnie.

Cette fondation de 1666 répandrait les notions, et plus tard les connaissances de la science, quand chacun s'y intéresserait, ou tout au moins viendrait prendre de ses nouvelles.

Le véritable savant qui, chez Fontenelle, perçait sous l'homme de lettres, se trouva tout à fait engagé dans l'Histoire de *l'Académie des Sciences*, pleine d'enseignements, féconde, instructive, d'une exposition très fine, semée d'abondantes pensées profondes, et d'heureux aperçus.

De ce remarquable ouvrage, un des biographes de l'auteur écrivait :

« La préface de *l'Académie des Sciences*, mais c'est le coup d'œil le plus ferme et le plus vaste qu'on ait jamais porté sur les connaissances humaines, depuis Bacon, et avant la préface de l'Encyclopédie (1).

« Ce chef-d'œuvre suffirait seul pour donner à un auteur la plus grande réputation. »

Oui la France se devait de créer une telle Académie, elle existait, d'ailleurs d'elle-même, comme née dans un terroir propre à la recevoir et à la voir croître.

Elle fut la cinquième d'Europe, après celles de Rome, de Florence, d'Allemagne, d'Angleterre (de 1603 à 1660).

_____

(1) Une lettre, venue du Pérou, après la mort de Fontenelle, fit connaître qu'une des productions de l'Europe, qui y était attendue avec beaucoup d'impatience, était cette histoire ; et qu'un grand nombre de dames péruviennes ont appris le français pour le pouvoir entendre.

Déjà quelques savants se réunissaient chez Montmort, Thévenet et Bourdelot. On y rencontrait aussi quelques étrangers tels l'Italien Boccone et le Suédois Sténon.

(L'Académie des Inscriptions et Belles-Lettres — d'abord appelée « Petite Académie » — fut fondée en 1663, et se composait, à l'origine, de quatre membres de cette doyenne des compagnies : Chapelain, Charpentier, les abbés de Bourzeix et Cassagne).

L'Académie des Sciences siégeait, à l'origine, rue Vivienne. Le premier secrétaire, nommé, fut M. de Carcavy, géomètre.

Voici un extrait du premier procès-verbal des séances ;

« Ce 22 décembre 1666, a été arresté dans la compagnie : 1° — qu'elle se réunira deux fois par semaine, le mercredy et le samedy. 2° — que l'un des deux jours, savoir le mercredy, on traitera des mathématiques, et le samedy, on travaillera à la physique. 3° — Comme il y a une grande liaison entre ces deux sciences, on a jugé à propos, que la compagnie ne se partage point ; et que tous se trouvent ensemble des mêmes jours. »

Pierre de Carcavy avait été nommé Secrétaire. Les premiers membres étaient au nombre de 21 se répartissant comme suit :

3 astronomes — 3 anatomistes — 1 botaniste — 2 chimistes — 7 géomètres — 1 mécanicien — 3 physiciens — 1 non classé.

Le roi estima que son royaume, fortifié par les conquêtes qui venaient de lui être assurées, n'avait plus besoin que d'être embelli par les arts et les sciences.

C'est pourquoi il prescrivit à Colbert de travailler à poursuivre leur avancement.

Les sept premiers membres : Carcavy, Huyghens, Roberval, Frénicle, Auzout, Picart et Buot, s'assemblèrent à la Bibliothèque de Colbert, et commencèrent les exercices académiques en juin de l'année **1666**, voici donc exactement **290 ans.**

Puis Colbert y fit entrer : De La Chambre, Perrault, Duclos, Bourdelin, Bocquet, Gayant, puis quelques jeunes, Niquet, Couplet, Richer, Pivert, de Voye. Auparavant une place avait été réservée à Duhamel, prêtre, secrétaire de cette compagnie.

L'Académie fut réorganisée en **1699** et reçut, à cette date son règlement :

« Le Secrétaire sera exact à recueillir en substance tout ce qui aura été proposé, agité, examiné et résolu dans la Compagnie, à l'écrire sur son registre... et, à la fin de chaque année, il donnera au public, un extrait de ses registres, ou une histoire résumée de ce qui sera fait de plus remarquable dans l'Académie. »

« Colbert, dit Fontenelle, avait mûri le projet de fonder une grande académie qui serait composée de tout ce qu'il y avait de gens les plus habiles dans toutes sortes de littératures (lisez « connaissances »).

La Bibliothèque du roi était destinée au rendez-vous commun. Car le roi, tout en soignant sa gloire, savait combien elle était faite du rayonnement des plus illustres de ses sujets (1).

Ce grand projet ne fut point réalisé ; le principe de la division du travail s'imposa en raison du nombre crois-

_____

(1) Il suivait, de près, le progrès des sciences. Et tout phénomène observé, ou en observation, retenait son attention et éveillait sa curiosité.

A propos de l'éclipse du 12 mai 1706, dit Fontenelle, « jamais phénomène n'eut de plus grands et de plus illustres observateurs. Le roi voulut voir faire les observations par les astronomes de l'Académie. Il y avait là Cassini le fils, De La Hire le fils, qui se rendirent à Marly, avec tous instruments précieux. Toute la maison royale et la Cour étaient venues, et Mgr le Duc de Bourgogne, détermina, lui-même, plusieurs phases. »

sant des académiciens. Aussi le roi remplaça-t-il la chambre trop exigüe de sa bibliothèque, par un logement que Fontenelle « apprécie spacieux et magnifique » où cette compagnie siégea durant un siècle.

Louis XIV, homme de goût, s'il en fut, et fort curieux de toutes choses garda toujours le contact avec les savants.

« L'année 1681, dit Fontenelle, fut glorieuse pour l'Académie, par l'honneur qu'elle reçut de la présence du roi.

« Il y vint avec le Dauphin, Monsieur frère du roi et le grand Condé. En partant, il dit à l'Académie qu'il n'était pas nécessaire qu'il l'exhortât à travailler, et qu'elle s'y appliquait assez d'elle-même. »

Cette compagnie devait entrer — et elle entra effectivement — en communication avec les académies étrangères, et les savants qui en faisaient partie (1).

Louis XIV et Colbert leur avaient alloué des pensions pour assurer leur repos et leurs travaux.

Pour tous les académiciens, le roi voulut qu'il fut créé un fonds pour toutes les expériences, si nécessaires dans toute la physique, la chimie, les mathématiques, deman-

---

(1) Le grand public se trouvait donc en présence de deux académies bien vivantes au début du XVIIIe siècle.

Comment réagissaient les honnêtes gens devant ces élites ?

Voltaire répond à cette question dans une lettre de 1732, en exposant les raisons des comportements différents des intellectuels de cette époque :

« Pourquoi le public qui respecte assez l'Académie des sciences ménage-t-il si peu l'Académie Française ? C'est que les travaux de l'Académie française sont exposés aux yeux du grand nombre et les autres sont voilés. Chaque Français croit savoir sa langue, et se pique de goût. Mais il ne se pique point d'être physicien. Les mathématiques seront toujours pour la nation en général une espèce de mystère et, par conséquent quelque chose de respectable. »

dant un grand attirail d'instruments, faits avec un soin infini, et dont la dépense est, quelquefois, au-dessus des forces des savants.

Il en fallait pour les dissections auxquelles se livraient les anatomistes, témoin cette curieuse anecdote :

Un éléphant de la ménagerie du roi mourut. Le savant anatomiste Duverney vint disséquer cet animal... Le roi y vint aussi pour faire des observations après qu'il eut vu les diverses parties du corps de l'animal, il demanda quel était l'anatomiste qu'il ne voyait pas ? M. Duverney s'éleva alors des flancs de l'éléphant où il était, pour ainsi dire englouti « Sire, me voilà ! ».

LES SALONS ET LES FEMMES

Les grandes Dames, les salons, les fermiers généraux, les femmes se le disputaient. Le Régent le recevait avec empressement.

Fêté, convive attendu partout, il attachait par son esprit étincelant, ses réparties fines et galantes, et cela jusqu'à un âge très avancé (1).

Il disait : « Une femme gouvernera, toujours à sa guise l'homme le plus impérieux, pourvu qu'elle ait beaucoup d'esprit, assez de beauté et peu d'amour » (2).

Dès longtemps, Voltaire avait observé : « Pour une élégance, pour une simplicité fine et piquante, pour le sentiment des convenances, pour une certaine fleur d'esprit, il faut des hommes polis dans le commerce des femmes ».

Madame de Lambert, une de ses confidentes préférées, reconnaissait que « nul sentiment ne lui fut nécessaire ». Et c'est sans doute pour cela qu'il abandonna la poésie, le passé et la carrière de bel-esprit, pour se livrer

---

(1) Pénétrant, un jour, par mégarde, dans le boudoir de Madame Helvétius, en déshabillé galant : « Ah ! Madame, si je n'avais que quatre-vingts ans... » Il en avait alors 90.

(2) Il répétait volontiers qu'il avait trois amours : la peinture, les femmes, la musique. Or, un soir qu'il se trouvait chez Madame de Lambert, excédé par d'éternelles symphonies des concerts, il se prit à dire brusquement : « Sonate que me veux-tu ? »

à la science, aux réalités, la science n'étant encouragée
que par elle-même et ses découvertes successives.

Le premier salon littéraire et philosophique du XVIII°
siècle est dû à l'initiative de Fontenelle. Le « Cydias bel-
esprit, suivant le mot de La Bruyère, est un personnage
plus spirituel que moral, plus écouté que respecté ».

Il apparaissait comme un demi-dieu, à qui l'âge con-
férait comme une sorte d'apothéose, dans un temple dont
la marquise de Lambert et Madame de Tencin devinrent
les grandes prêtresses. Au commencement on avait raf-
finé sur les mots, sur les choses, on avait cherché partout le « fin du fin ».

Ce ne fut pourtant pas Fontenelle qui donna son nom
à ce nouveau genre d'esprit, mais bien Marivaux.

Les Salons cesseraient de s'identifier à des cénacles
académiques, pour se mettre au goût du jour et se voir
envahir par la philosophie et les Encyclopédistes, sous la
main de Madame Du Deffand « débauchée d'esprit, disait
Sir Walpole, femme Voltaire dira plus tard Villemain,
trop tôt aveugle, trop tard amoureuse ».

Fontenelle était un assidu, un familier de Mme de
Tencin (1) qui l'appelait « un dieu de la philosophie ».
Très répandu dans les salons de Paris et d'Auteuil, il trou-
vait son couvert toujours mis chez Madame Geoffrin (2).

Ses rapports avec les femmes quand ils n'étaient pas

---

(1) Madame de Tencin, mère de d'Alembert, qu'elle avait eu
avec le Chevalier Camut Destouches, ex-dominicain. Très
libre d'allures, elle s'adonna à la galanterie. Ecrivain distingué, elle eut le mérite de découvrir et de révéler Montesquieu.

(2) Madame Geoffrin (1699-1797) tint, jusqu'à un âge fort
avancé, un salon de haute tenue qui jouissait d'une vogue
extraordinaire.

Comme sa fille voulait lui assurer une fin chrétienne, elle
eut cette spirituelle réponse : « Ma fille est comme Godefroy
de Bouillon, elle a voulu défendre mon tombeau contre les
infidèles. »

purement intellectuels, prenaient une allure plus sen-
suelle.

« Il ne nous aime point madame, disait la marquise
de Lambert (3) à Madame de Tencin, il ne nous aime
point. Il n'aime même pas ma fille de Sainte-Aulaire, il
n'aime que la petite de Beuvron... »

Et cette dame ajoutait : « Il ne demande aux femmes que le mérite de la figure. Dès que nous plaisons à
ses yeux, cela suffit, tout autre mérite est perdu ».

Dans les *Dialogues des Morts* il attribue à un de ses
personnages cette réflexion :

« Le corps est destiné à recueillir le profit des passions que l'esprit nous avait inspirées ».

Aucune femme ne lui fut plus chère que Mademoiselle d'Achy — depuis Mme de Mineure — « Il l'avait
aimée, dit l'abbé Trublet, autant qu'il est capable d'aimer ».

Madame Dubocage témoignant, un jour, à Fontenelle
combien elle était surprise de ce qu'on avait pu lui reprocher de manquer de sensibilité :

« C'est que je n'en suis pas encore mort. »

Quelqu'un lui demandait s'il n'avait jamais pensé
à se marier « Quelquefois, le matin », répondit-il.

Une jolie femme le recevant en négligé de lui dire :

« Vous voyez bien qu'on se lève pour vous...

« Oui, mais on se couche pour un autre. »

La Duchesse du Maine lui ayant demandé quelle ressemblance il y avait entre une femme et une pendule :

« L'une marque les heures, l'autre les fait oublier. »

Admirant un admirable petit travail d'ivoire, si déli-

---

(3) Marquise de Lambert (1674-1735) auteur de divers
ouvrages sur l'éducation. Son salon était l'un des plus recher-
chés du tout-Paris d'alors. Avec Fontenelle, elle lança ces
cénacles philosophiques du XVIIIᵉ siècle.

cat qu'on osait, à peine, se le faire passer de mains en mains :

« Je n'aime pas ce qu'il faut trop respecter », dit alors Fontenelle.

Sur ce, Madame de Flammarens, arrivant et se tournant vers elle : « Ce n'est pas pour vous que je dis cela. »

Une jeune demoiselle, remplie de grâce et d'esprit, disait un jour à Fontenelle qui avait demandé des bougies : « Mais, Monsieur, on me dit que vous aimez l'obscurité ».

— « Non, pas où vous êtes. »

Madame d'Argenson, dînant en grande compagnie, chez le Régent et ayant dit une chose de très fin qui ne fut point sentie : « Ah ! Fontenelle où es-tu ? »

Au temps où il écrivait la *Pluralité des Mondes* il en lisait le texte manuscrit à la femme de chambre de la marquise, c'était Madame de la Mésangère. Mais elle jugea la ressemblance trop évidente. Et c'est pourquoi, voyant que cette dame désirait garder l'incognito, il changea la couleur des cheveux de la marquise. De brune qu'elle était il la fit blonde.

A Madame D... trop peu présente à son gré, il adressa ces vers :

« Si votre absence continue,
Je vous en avertis, mon amour diminue.
En vous, différents dons des cieux
Font un tout rare et curieux.
Mais quand ce si beau tout est un temps sans paraître,
A mes yeux, à mes propres yeux,
Je viens à douter qu'il puisse être. »

Chez Madame de La Sablière, il fréquentait Lauzun, Brancas, La Tour, Chaulieu, et chez Mme de Lambert Madame Deshoulières, Pelisson, Fléchier, Montansier...

La Bruyère disait : « On le promet longtemps dans

un certain monde, on le présente dans les salons comme un homme rare et distingué, d'une exquise conversation. »

Sur la fin de sa vie, ses relations s'étendirent à Montesquieu, Mairan, Marivaux, Helvétius, d'Argental, Marmontel, Du Pont de Veyle, Bernis, La Fresnaye...

Mais son salon favori — et de loin — c'était celui de la Marquise de Lambert, femme d'esprit et de cœur, qui s'était élevée d'elle-même et qui se transforma en une éducatrice hors pair. « La seule maison, au dire de Fontenelle, qui se sut préserver de la maladie épidémique du jeu, la seule où l'on se trouvât pour s'entretenir raisonnablement, les uns et les autres, avec esprit, et cela dans de multiples occasions. »

Mais se demandera-t-on peut-être, quel comportement était le sien, pour recevoir, partout de si aimables audiences ?

Ce centenaire fut un homme des plus heureux. Il accoutuma ses contemporains à la vue de son bonheur. Il se le fit pardonner, et sut se faire envier.

Ce maître des choses de l'esprit, ce travailleur infatigable, que n'interrompit jamais aucune aventure extraordinaire, doit être considéré au milieu de son siècle, dans le cadre où il évoluait, dans son univers familier. Il faut le regarder avec l'œil du XVIIIe siècle.

Sa santé, délicate, l'obligeait parfois à se « ménager », à prendre certaines précautions.

« Il était », dit Le Beau, son confrère à l'Académie des Inscriptions et Belles-Lettres, « il était un vase d'une matière fine et d'un ouvrage délicat, que la nature avait placé au milieu de la France pour l'ornement de son siècle, et qui subsista longtemps, sans aucun dommage parce qu'il ne changeait jamais de place, et qu'il n'était à remuer qu'avec beaucoup de précautions. »

Il était un homme d'ordre, racontait Madame Geoffrin, « et quand il entrait dans un logement, il laissait les choses comme il les trouvait, et il n'aurait même ajouté ni ôté un clou. »

Fontenelle comprenait la plaisanterie, soit qu'il la fît, soit qu'il en fut l'objet.

« Partout où il y a des hommes, il y a des sottises. »

« Il faut pour être heureux avoir l'estomac bon et le cœur mauvais. » Boutade plus que traduction de sa nature intime.

Fontenelle a souvent été jugé comme un égoïste. Il est vrai, sur un examen superficiel.

Mais il se montra secourable, discrètement d'ailleurs, et il fit beaucoup plus de bien qu'on ne le croit généralement, chose que l'on apprit parfois après sa mort.

Alors beaucoup le pleurèrent, et plus d'un malheureux le pleura comme un père.

D'une bonne action qu'on lui signalait, il l'appréciait de ces simples mots : « Cela se doit ».

Sa charité, voilée, formait un des traits touchants de sa physionomie. Chez lui, le feu de l'esprit était tempéré par un heureux mélange, des qualités du cœur et de la raison.

Ce juste équilibre lui valait sympathie et considération des cercles et salons intimes mêmes où il était appelé.

Il a joui, sans forfanterie, de toutes les plénitudes de la renommée, de toute sa gloire, de son vivant même. Mais il était attentif à la vertu des autres. « Il ne m'est jamais arrivé, disait-il au soir de sa longue existence, de jeter le moindre ridicule sur la plus petite vertu. »

Adrienne Lecouvreur (1), qui l'a beaucoup connu, a tracé ce portrait du savant :

« Sa physionomie annonce l'esprit ; un air du monde répandu sur toute sa personne le rend aimable dans toutes ses actions. La probité, la droiture composent son caractère. Une imagination vive, brillante, des tours fins et délicats, une expression nouvelle et toujours heureuse en font l'ornement.

« Le cœur pur, les procédés nets, la conduite uniforme, et partout des principes, exigeant peu, justifiant tout, saisissant toujours le bon, abandonnant si fort le mauvais que l'on pourrait douter qu'il l'a aperçu.

« Difficile à acquérir, mais plus difficile à perdre, exact en amitié, scrupuleux en amour, l'honnête homme n'est négligé nulle part. Propre au commerce le plus délicat, quoique les délices des savants, modeste dans ses discours, simple dans ses actions, la supériorité de son mérite se montre, mais il ne la fait jamais sentir. »

_____

(1) Adrienne Lecouvreur (1692-1730) tragédienne illustre, « vedette incomparable » dirait-on de nos jours, maîtresse du Maréchal de Saxe, a joui en son temps d'une gloire que devaient connaître plus tard et Rachel et Sarah Bernhardt (auteur d'une pièce sous le nom de la comédienne en 1907) Adrienne Lecouvreur mourut mystérieusement.

L'HOMME

Il semblait que le malheur n'avait point eu de prise sur cet homme heureux ; il n'a éprouvé, dans sa vie que « des accidents de bonheur » (1).

Son excellente santé lui permettait de goûter et de prendre du repos, selon ses désirs. Il savait combien le savant à besoin de repli sur soi-même (2). Et Voltaire qui fut toujours en excellentes relations avec lui, aimait à le définir

« Le Normand Fontenelle amoureux du repos. »

Ce savant aimait à se dire, à répéter autour de lui : « Peu de gens peuvent comprendre la félicité d'un solitaire qui l'est, par son choix, tous les jours renouvelé » (3).

Au cours d'une conversation, devant une opinion contraire à ses vues, il lui arrivait de ne pas répondre : ce n'était là ni réserve, ni timidité : son silence signifiait, à

---

(1) La fortune lui fut aussi favorable que la nature. Né presque sans biens, il devint riche, pour un homme de lettres, par les bienfaits du roi, et par une économie sans avarice.

(2) La Harpe écrivait : « Sa vie a été un siècle de repos » et Milord Hyde précisait : « Je vivrais ses cent ans dans un quart d'heure. »

(3) Pascal n'avait-il pas, lui aussi, exprimé une pensée analogue : « J'ai découvert que tout le malheur des hommes ne vient que d'une seule chose qui est de ne savoir pas demeurer au repos dans une chambre ».

la fois le désir de ne pas contrarier son interlocuteur et
de ménager sa voix (4). Car il ne connaissait point la
timidité, cette sorte de souffrance intérieure qui glace les
paroles et en empêche l'émission.

Pour s'assurer une tranquillité durable et sans nuages, Fontenelle renonça au mariage.

> Dans les nœuds de l'hymen
> A quoi bon m'engager ?
> Je suis un, cela doit suffire.
> Si j'étais deux, mon état serait pire.
> C'est bien assez pour moi
> Pour me faire enrager.

Mais, néanmoins, les femmes choyèrent et embellir
sa vieillesse. Il se servait d'elles pour avancer dans le
monde. Cet intellectuel se doublait aussi d'un sensuel :
« La substance qui pense était la principale occupation
de ma vie, mais elle n'en bannissait point la substance
étendue. » Il entendait profiter des restes d'une vigueur
que lui conserve longtemps un âge avancé.

On lui a, souvent, reproché son caractère froid, un
cœur fermé. Aux doléances d'autrui, il serait resté sourd.
L'abbé Delille a rendu exactement le fond de cette nature :

> « Fontenelle, toujours, craignant quelque surprise,
> Aux passions sur lui ne donna point de prise,
> Soigne attentivement son timide bonheur,

---

(4) Comme le devait faire plus tard, le charmant philosophe Joseph Joubert « il s'arrangea toujours pour éviter les
chocs brutaux. »

Même de l'amitié mit en garde son cœur.
Ami des vérités, par crainte les enchaîne,
Et s'abstient du bonheur pour éviter la peine. »

Il était assez indifférent à toutes choses. Sa maxime favorite, il l'énonçait ainsi : « Tout est possible, tout le monde peut avoir raison ». La raison, mais c'était sa principale qualité, la raison la plus solide, la plus aimable, et souvent généreuse.

Dans une missive à Marivaux :

« Monsieur, dans la situation où vous vous trouvez, on peut avoir besoin d'argent. Les véritables amis ne doivent pas attendre qu'on leur demande : leur cœur doit deviner. Voici ma bourse de cent livres que je tiens à votre disposition ».

Cette largeur de vue ne saurait effacer une insensibilité qui se manifestait en diverses circonstances.

Grimm rapporte le trait suivant :

« Diderot le voyant pour la première fois de sa vie ne put s'empêcher de verser des larmes sur la vanité de la gloire littéraire et des choses humaines. Fontenelle lui demandant pourquoi cette émotion : « J'éprouve, dit alors Diderot, un sentiment singulier. » Au mot de sentiment, Fontenelle avança : « Il y a 80 ans que j'ai relégué les sentiments dans l'églogue. »

Boutade à n'en pas douter, comme le montre une touchante délicatesse.

Après l'entrée à l'Académie des Sciences de M. de Pontchartrain, Fontenelle lui écrivit : « Monseigneur, ne m'ôtez pas la douceur de vivre avec mes égaux ». Car Pontchartrain souhaitait voir Fontenelle au fauteuil de la Présidence, et ce dernier désirait conserver la charge de secrétaire de la dite compagnie.

Homme du monde, il avait, dès sa jeunesse, goûté le charme des relations, puisé dans l'ambiance des Corneille. C'est ainsi qu'il avait connu la célèbre Sophie

Arnould (1). En son temps il avait offert à Madame
Arnould, femme de beaucoup d'esprit, le manuscrit d'une
pièce de Pierre Corneille.

Il resta toujours fidèle aux amitiés, et souvent, plein
de déférence envers ceux qui l'avaient obligé.

Au moment où la fièvre monétaire, provoquée par le
système de Law (1671-1728) bouleversait l'opinion, des
mouvements populaires faisaient craindre des sédi-
tions, qui seraient dirigées contre le Régent. Le bruit courut que l'on allait mettre le feu au Palais-Royal. A cette
date, Fontenelle y résidait, dans un logement que lui
avait donné Philippe d'Orléans.

Monsieur d'Aube vint prévenir le savant, son ami et
parent, de ces rumeurs et lui offrit de le prendre chez
lui, pour assurer sa tranquillité.

Fontenelle répondit : « Il n'arrivera rien, mais quand
il arriverait ce que vous craignez, ce serait une lâcheté à
moi, de m'éloigner du Prince qui me loge, et qui sûre-
ment ne découchera point, et je ne le ferai pas. »

Il n'arriva rien, effectivement.

Le Régent le logeait au Palais-Royal, comme secrétaire particulier, et lui versait 1.000 francs de pension.

Fontenelle refusa, un jour, de donner sa voix, à l'Académie, en faveur d'un candidat recommandé par Phi-
lipppe d'Orléans. Il dit : « Je ne prends d'engagement
avec personne, sauf avec moi-même. »

Devant cette réponse quelque peu déplacée, le Régent
dit à une personne de son entourage : « Dites que je le
loge dans un galetas. »

Il jouissait de 1.200 livres sur la cassette du roi. Vou-

_____

(1) Comme cette grande artiste assistait, un jour, pendant
la Semaine sainte, au défilé des mondaines à l'Abbaye de
Longchamp, elle eut cette réflexion : « Quand on voit un tel
luxe, doit-on être surpris si toutes les grandes Dames se dégoû-
tent de l'état d'honnêtes Femmes. »

lant rendre service à un de ses parents, M. de Saint-Gervais, il pria d'Argenson, alors ministre, de faire passer la moitié de cette somme sur la tête de son protégé.

Cette constance dans la fidélité remontait au temps de sa jeunesse. Rue Saint-Jacques, il se rendait souvent chez son ami l'abbé de Saint-Pierre, où il retrouvait l'historien abbé Vertot, normand (1), le mathématicien Varignon : « Nous nous réunissions avec un extrême plaisir, pleins de la première ardeur de savoir, fort unis, et, ce que nous ne comptions peut-être pas pour un assez grand nombre, nous n'étions pas connus. »

Mais l'amitié se conserva et s'amplifia quand ces hommes furent « très connus ».

La perte de son ami Brunet lui causa un immense chagrin. « Sa mort a changé toute ma vie... S'il avait vécu nous ne nous serions jamais quittés ». Sa liaison était parfaite avec ce procureur du roi au bailliage de Rouen. Avant de publier un ouvrage, il le lui soumettait.

L'amitié de ces deux hommes remet en mémoire celle qui unissait Montaigne et La Boétie. Montaigne disait : « Je l'aimais parce que c'était lui, parce que c'était moi. »

Ce témoignage d'attachement à des relations nouées antérieurement révélait un des traits saillants de son caractère, avec le respect de la sincérité et de l'honnêteté.

« Je ne me suis jamais engagé à avoir raison et je puis, avec honneur, avouer que je me trompais toutes les fois qu'on me le fera voir. La vérité n'a ni jeunesse ni vieillesse ; les agréments de l'une ne la doivent pas faire

---

(1) L'abbé Aubert Vertot (1655-1735) était un historien fort apprécié.

Il avait publié une *Histoire de l'Ordre de Malte*. Il avait décrit le siège de Rhodes, sans attendre les documents qu'il avait demandés. Quand on le lui procura, il se borna à répondre : « Mon siège est fait », expression devenue proverbiale.

aimer davantage, et les rides de l'autre ne lui doivent pas attirer plus de respect. »

Le sentiment de l'honnêteté ne lui a jamais manqué. Quand l'abbé de Saint-Pierre fut exclu de l'Académie française, par une censure étrange, une seule boule protesta, dans l'urne, contre cette rigueur injustifiée; et ce fut celle de Fontenelle.

Sa charité ne connaissait aucune borne. Mme Geoffrin rapporte que quand elle le sollicitait pour les pauvres, il allait souvent, dans ses libéralités, bien au-delà et plus loin que ne permettait sa fortune.

« On n'est point avare quand on dépense peu pour soi, si l'on prête et si l'on donne. Il faut se refuser le superflu pour procurer aux autres le nécessaire. »

Fontenelle a souvent prêté et donné, même en prévenant la demande au profit de personnes inconnues de lui.

Exempt des besoins, des passions, par raison et par tempérament, il ne se soumettait qu'à ceux de la nature assez peu étendus.

Tolérant, il se montrait en toutes circonstances mais savait s'accommoder du comportement des autres : « Les hommes sont sots et méchants, mais, tels qu'ils sont, j'aime vivre avec eux et je me le suis dit de bonne heure.»

Brillant et séduisant, ce causeur faisait les délices des salons. Garat, un de ses biographes, relatait :

« L'influence de sa conversation dans le monde a été presque aussi étendue et aussi utile que celle de ses ouvrages. Dans le cabinet, le philosophe était homme du monde, dans la société l'homme du monde était philosophe... Mais quand il se mêlait à une conversation qu'il ne pouvait entendre (en raison de sa surdité) il demandait quel était le sujet de l'entretien ou ce qu'il appelait « le titre du chapitre ». Il ne pouvait le suivre, assurément ;

mais au dire des assistants, il suivait le déroulement des idées, de lui-même, intérieurement. »

Prenons à Garat un trait piquant :

« Comme on demandait à Fontenelle sur la fin de sa vie, quel avait été le moment le plus heureux de son existence, il répondait : « Le temps que je regrette le plus, c'est la période entre 75 et 90 ans. Quand on a été heureux à ces moments de l'existence, c'est qu'on a dû l'être beaucoup durant tout le reste de sa vie. »

C'est, en particulier, pendant les repas que brillaient dans tout leur éclat, ses dons étonnants qui font le convive de choix.

Sensuel sans doute était-il, mais chez lui le gourmet passait le gourmand. Aussi recherchait-il la table de l'abbé Morellet, et surtout les dîners de Mesdames Suard, de Lambert, Necker. Il ne manquait pas de leur apporter des fleurs choisies, le grand public le savait fin connaisseur.

Discret, s'effaçant parfois, il louait pour être loué (1), car il ne négligeait point sa gloire, conscient qu'il se sentait de sa royauté intellectuelle et philosophique. On trouvait en lui un véritable centre d'approvisionnement

_____

(1) Dans *Spectacle de la Nature,* l'abbé Pluche écrivait : « Je connais une compagnie de Fleuristes qui avait coutume de donner à chaque nouvelle espèce de renoncule le nom de quelques personnes de qualité, distinguées dans le monde. Celle qui, avec une riche couleur, embellit régulièrement les extrémités de chacune de ses feuilles, c'était « la Fontenelle ».

(On sait qu'au XVIIIe siècle Commerson appela Hortensia une fleur nouvelle venue de Chine, en l'honneur de Mme Hortense Lepaute.

Victor Hugo n'a-t-il pas dit :
            « Si Dieu n'avait fait la femme,
            Il n'aurait pas fait la Fleur »).

littéraire, scientifique. Il savait admirer qui le méritait. (2)

L'essentiel de sa sagesse, il l'a enfermé dans son petit ouvrage *Le Bonheur*. Se maintenant à égale distance du pessimisme et de l'optimisme, il continuait Rabelais, Montaigne, Molière. Et pour Fontenelle la morale c'est d'être heureux ; mais la vertu est un élément indispensable du bonheur, juste équilibre entre instinct et raison.

Les cultivés, « les honnêtes gens » disait-on alors, (ceux qui veulent être à la page dirait-on de nos jours) le suivaient, attentivement, dans sa montée vers la voie droite du progrès et du vrai.

Sa réputation avait sa résonance par-delà de nos frontières, et nous attirait des « touristes » épris de philosophie. Beaucoup d'étrangers qui venaient en France cherchaient à le voir — au moins une fois — et s'en retournaient, enchantés d'avoir pu contempler ses traits.

Un Suédois. animé d'un tel désir fut indigné de l'ignorance des commis de la barrière d'entrée touchant son adresse, et, plus encore ils ne connaissaient même pas ce nom !

---

(2) S'il n'a jamais fait « Ah ! Ah ! » comme le prétendait Mme Geoffrin, il n'a jamais fait « Oh ! Oh ! » au dire de Sainte-Beuve.

L'ÉCRIVAIN, LE PHILOSOPHE

Comment écrivait, comment rédigeait Fontenelle ? L'abbé Trublet, son premier biographe, qui l'avait bien connu, nous l'apprendra :

« Il méditait paisiblement son sujet, et il ne se mettait à écrire qu'après avoir achevé de penser. Mais, la plume une fois prise marchait sans interruption... point de brouillon, une copie unique et presque sans râtures. »

L'abbé Trublet ayant attaqué Voltaire au sujet de *la Henriade*, ce dernier répliqua par ces vers :

> L'abbé Trublet, alors, avait la rage
> D'être à Paris un petit personnage.
> Le peu d'esprit que le bonhomme avait,
> L'esprit d'autrui, par supplément servait.
> Il entassait adage sur adage...
> Il compilait, compilait, compilait...

Les relations entre ces deux auteurs se détendirent et s'améliorèrent plus tard. Une réconciliation intervint, lors de l'élection à l'Académie française de l'abbé.

Faisant allusion à leurs démêlés lointains, et aujourd'hui oubliés, Voltaire écrivait :

« Je suis fâché de vous avoir donné quelques coups d'épingle, votre procédé me désarme pour jamais. »

Dans une seconde lettre, l'abbé Trublet lui mandait:

« Mille grâces, Monsieur et très illustre Confrère de

la réponse dont vous m'avez honoré... Puissiez-vous conserver longtemps les agréments, et tout le feu de votre génie. C'est le vœu de vos ennemis mêmes, et, s'ils n'aiment point votre personne, ils aiment vos ouvrages : il n'y a point d'exception là-dessus.

« Pour moi, j'aime toujours les écrits et l'auteur, et je suis, avec autant d'attachement que d'estime... »

Fontenelle, lui aussi, à l'occasion savait lancer quelques coups d'épingle, et ne ménageait point certains auteurs. (1)

Il se jugeait lui-même médiocre épistolier « détestable et infiniment paresseux ». On a souvent répété qu'il appartenait à cette famille d'artistes, à qui il en coûte moins de faire un chef-d'œuvre que d'écrire une lettre.

Pourtant, quelques-unes de ses missives — si elles ne sont pas du Voltaire ou du Sévigné — nous renseignent sur ses goûts, son comportement mondain, et jettent une lueur sur tel ou tel de ses contemporains.

« Je l'ai peu connu (La Fontaine) et je le définis ainsi un homme qui était toujours demeuré, à peu près ce qu'il était sorti des mains de la nature, et qui, dans le commerce des autres hommes, n'avait presque pris aucune teinture étrangère ; de là, venait son inimitable et charmante naïveté. »

A Madame du Deffand, dans une lettre de février, de l'année 1740 :

---

(1) Pierre Roy, littérateur, avait composé le quatrain suivant :

  Sur un mince cristal, l'hiver conduit leurs pas
  Le précipice est sous la glace
  Telle est de vos plaisirs la légère surface
  Glissez mortels, n'appuyez pas !

Ces vers avaient été mis sous une gravure de Lormessin, d'après un tableau de Lancret « Le Patinage ».

Sur ce quatrain de Pierre Roy, Fontenelle disait :

« C'est l'homme d'esprit le plus bête que j'ai connu. »

« L'étude a cela de bon qu'elle nous fait vivre tout doucement en nous-mêmes, qu'elle nous délivre du fardeau de notre oisiveté, et qu'elle nous empêche de courir hors de chez nous, pour aller dire et discuter des riens, d'un bout de la ville à l'autre.

Et voici quelques autres extraits de ses lettres : A Mademoiselle de S., en lui envoyant un pâté d'un sanglier, qui l'avait pensé blesser à la chasse :

« J'ai couru un grand péril, Mademoiselle, mais enfin mon ennemi est défait, et je vous l'envoie en pâté. Je l'ai fait saler et épicer, pour conserver la mémoire de mon triomphe, en montrant son cadavre... »

Sa correspondance en général, unit souvent — et même presque partout — simplicité, goût, fidélité dans les sentiments, ainsi que le montrent ces lignes adressées au Père André ; il avait alors 80 ans :

« Mon Révérend Père, je sens très vivement la continuation de vos bontés, et je suis très flatté qu'un grand éloignement, et qui apparemment ne finira pas, ne s'efface pas tout à fait de votre souvenir... Une chose, enfin, qui m'est fort nécessaire, c'est la continuation de votre santé, et je vous le demande instamment... » (1)

Dans ses lettres, comme dans tous ses écrits, Fontenelle invoque toujours Descartes :

« Il faut sans cesse admirer Descartes ? C'est Descartes, à ce qu'il me semble, qui a amené cette nouvelle méthode de raisonner, suivant les propres règles qu'il nous a apprises. »

Si jamais Fontenelle professa un culte, ce fut celui

---

(1) Marie André, dit « le Père André », jésuite, (1675-1764), grand et fidèle ami de Fontenelle, fervent du cartésianisme, auteur d'un livre fort apprécié en son temps, *Essai sur le Beau.*

de Descartes (1) ; s'il amoindrit sa sensibilité, il a discipliné sa pensée : « Ce qu'il y a de principal dans la philosophie et ce qui, de là, se répand sur tout, je veux dire la manière de raisonner, s'est extrêmement perfectionné dans ce siècle. »

Le premier, en France, Fontenelle a proclamé la solidarité des sciences et de la philosophie.

L'universalité de ses connaissances, une compréhension rapide des découvertes nouvelles, une étonnante facilité d'assimilation, lui permettaient une diffusion claire à la portée de tous. Le grand public réagissait avec enthousiasme, désireux de satisfaire une curiosité avide de se tenir à l'avant-garde de son temps.

N'apparaît-il donc pas, en quelque manière, comme un précurseur des journalistes, des reporters — reporter avant le mot et la chose.

Avant Fontenelle, les gazetiers — du moins dans les gazettes tolérées, fortes du « privilège » — les mémorialistes, les historiographes (Dangeau, Duclos...) devaient se contenter des événements de la Cour, grands et petits, des échos mondains, de la vie des courtisans, des affaires si importantes alors, des affaires de préséance.

Çà et là, parfois, de timides aperçus, des notes tendancieuses touchant des nouvelles mandées par des Cours étrangères; on y relevait, de loin en loin, des affirmations téméraires.

Mais on y cherchait en vain des discussions approfondies, des critiques objectives. Pas la moindre allusion aux problèmes de l'heure, aux questions sociales, aux misères des humbles.

---

(1) « Descartes, ce mortel dont on eut fait un Dieu
     Chez les païens et qui tient le milieu
     Entre l'homme et l'esprit. »
     (Discours de La Fontaine à Madame de la Sablière).

C'est Fontenelle qui a commencé et annoncé cette révolution intellectuelle et l'avait proposée à quelques personnes averties de son milieu, et qui a fait du XVIIIᵉ siècle une des plus mémorables époques qui a vu le plein épanouissement de l'esprit humain.

Puis Voltaire et les encyclopédistes ont assuré à toutes les classes de la société la diffusion des idées et principes pré-révolutionnaires.

Et sous la plume de Fontenelle, écrivain, philosophe, savant, retenons cette différenciation entre les multiples productions intellectuelles :

« La peinture et la poésie sont stables ; elles expriment la nature ou la magnifient. Mais la science, elle, elle progresse sans cesse et elle « s'avance », d'un mouvement très lent autrefois, plus rapide aujourd'hui. Les découvertes de l'un annoncent et préparent celles des autres.

« La venue des inventions successives et leurs dépendances apparaît comme le caractère de la vérité scientifique ; et la distingue de la vérité historique, parfois simplement révélée ou transmise. »

« Carpe diem », disait le bon Horace, prends le jour comme il vient. Le sage doit accepter ce que la nature lui accorde.

« Il n'y a personne qui, dans le cours de sa vie, n'ait quelques événements heureux, des temps ou des moments agréables.

« Notre imagination les détache de tout ce qui les a précédés ou suivis. Elle les assemble et se représente une vie, qui en serait toute composée : voilà ce qu'elle appel-

lerait du nom de bonheur, voilà à quoi elle aspire, peut-
être sans trop se l'avouer.

« Notre condition est meilleure quand nous nous y
soumettons de bonne grâce, que quand nous nous révol-
tons inutilement contre elle.

« Les maux sont très communs, et c'est ce qui doit,
naturellement, nous échoir ; les biens sont très rares, et
ce sont des exceptions flatteuses, faites en notre faveur à
la règle générale.

« Le bonheur est un état, une situation, telle qu'on en
désirerait la durée sans changement, et, en cela, le
bonheur est différent du plaisir, qui n'est qu'un sentiment agréable, mais court et passager.

« Une circonstance imaginaire qu'il nous plaît d'ajou-
ter à nos afflictions, c'est de croire que nous serons incon-
solables. »

IDÉES RELIGIEUSES — ESPRIT EUROPÉEN

QUESTIONS SOCIALES

« Quel spectacle, disait Fontenelle, quel spectacle fut pour le monde corrompu, la naissance du christianisme. On y voit paraître tout à coup, et se répandre, dans le monde des hommes qui disconviennent avec tous les autres sur les principes les plus communs, des hommes qui rejettent tout ce qui est recherché avec le plus d'ardeur, et qui ont un amour sincère pour tout ce que les autres fuient... »

Au temps de la jeunesse de Fontenelle, les grands savants, les hommes de lettres, les élites étaient des chrétiens convaincus et pratiquants. Lui-même a été élevé par une mère très pieuse. Ses premiers maîtres furent des Feuillants et des Jésuites, et leur enseignement continuait les données, et « les petites vertus morales » de Marthe Corneille.

Il a dit un jour :

« L'Imitation est le plus beau livre qui soit sorti de la main des hommes, puisque l'Evangile n'en sort pas. »

Ce savant a essayé de prouver, scientifiquement, l'existence de Dieu.

De son discours de 1680, *Discours sur la patience,* on détachera ces lignes :

« Quand le Messie naquit, ardemment désiré par tout un peuple, des idées du vrai et du bien nous furent révélées, sans obscurité, sans nuages. Alors disparurent tous ces fantômes de vertus qu'avaient inventés les philosophes. Alors des remèdes, tout divins, furent appliqués avec efficacité, à tous les maux qui nous sont naturels...

« Le Christ enseigne la patience à l'humanité, non pas la patience des stoïciens, de désespoir raisonné, plutôt que vraie patience, mais la résignation, celle des saints et des martyrs, acceptation consentie de la douleur. »

Il proposait aux Royaumes la Charité des ordres religieux, pour harmoniser tous les rapports entre les êtres vivants (1).

Mais il est juste de le reconnaître, Fontenelle a dissous les croyances, et il a préparé des armes pour les amoindrir, et les remplacer par la foi au progrès, la foi dans l'avenir, la foi dans la science.

Cette évolution de Fontenelle s'explique aisément. Comme il avait passé de la préciosité à l'Encyclopédie, il suivit un itinéraire parallèle, de la croyance à l'indifférence en matière religieuse, des anciens aux modernes. Au fond, se manifestait une certaine réaction contre le dix-septième siècle.

Pour Fontenelle, on ne se désabusera jamais de tout ce qui regarde l'avenir, il a un charme trop puissant.

« Les hommes sacrifient tout ce qu'ils ont à une espérance et tout ce qu'ils avaient. Et tout ce qu'ils viennent d'acquérir, ils le sacrifient à une autre espérance. Il semble que ce soit là un ordre malicieux, établi par la nature, pour leur ôter toujours, d'entre leur main, ce qu'ils tien-

---

(1) Renaudot a dit : « Il faut qu'en un Etat les riches aident les pauvres, son harmonie cessant lorsqu'il y a partie d'enflée outre-mesure.

« La France est le four où cuit le pain intellectuel de l'humanité », (Cardinal Eude, de Châteauroux).

« Mettez la France debout et vous verrez quelle taille elle a ! » (Gambetta).

nent. On se remet à être heureux dans le temps qui viendra, comme si le temps qui viendra devait être autrement fait que celui qui est déjà venu. »

Les idées de Fontenelle s'envolaient des salons, de ses livres, de ses conversations vers les sociétés de chez nous, et passaient les frontières. Il fut, en conséquence un des premiers Français à devenir Européen.

Le développement scientifique favorisait nettement le rapprochement des peuples.

Des découvertes techniques d'un certain retentissement, suivies de réalisations et de réussites s'imposaient à tout le continent.

En sa qualité de Secrétaire perpétuel, Fontenelle entretenait d'excellentes relations avec Gotscheid de Leipzig, Sloane, Neper, Harvey de Londres, Vernet de Genève, S. Gravesande de La Haye, Stenon (2) et Bartholin, Danois, Boerhaave et Swammerdam, Hollandais. Sa réputation était universelle, « mondiale », dit-on aujourd'hui.

Péruviens et Scandinaves, Persans et Néerlandais et tant d'autres, se tenaient à l'affût de ses travaux, et des inventions qu'il diffuserait à tous échos.

Les Cours européennes, des académies étrangères ne l'ignoraient pas : il semblait un Ministre européen de l'Intellectualité littéraire et scientifique.

En janvier 1739, le Cardinal de Fleury, répondant à une lettre de Fontenelle lui mandait :

« Et moi, je souhaite à la France et à l'Europe littéraire la considération de celui qui en fait le principal ornement, afin que l'on puisse dire, à nous deux que « Divisum habemus Imperium ».

---

(2) Stenon a établi les principes essentiels de la géologie, sédimentation, âge relatif des couches, glissements...

Un tel homme, proclamait Duclos (1) appartient à l'Europe. Il semble n'avoir pas assez vécu par la qualité et le mérite de ses ouvrages. Esprit trop étendu pour pouvoir être renfermé; dans les bornes du talent, il s'est maintenu au milieu des lettres et des sciences, dans une espèce d'équilibre propre à répandre la lumière sur tout ce qu'il a traité. »

Au lendemain de sa mort Grimm (2) écrivait : « M. de Fontenelle est un de ces hommes rares qui, témoin pendant un siècle des révolutions de l'esprit humain, en a lui-même, opéré quelques-unes, et préparé les causes de plusieurs autres. »

A sa mort, Rouen, Nancy, Londres, Lima, Berlin, Téhéran exprimèrent leur émotion, par un concert unanime de regrets et d'éloges.

Fontenelle a eu, de très bonne heure, l'esprit cosmopolite. Il n'a pas ménagé ses louanges à l'Angleterre et à l'Allemagne. Il annonce, en dehors et au-dessus des nations, la naissance de cette cité nouvelle « la République des Lettres », titre du journal de Pierre Bayle qui connut une exceptionnelle faveur.

Humanitaire, il exhortait les « peuples à s'unir pour le progrès des sciences, à s'enrichir par un commerce tranquille, plutôt que de s'opposer par des conquêtes violentes ».

Cet esprit européen de 1700 à 1750 fut, d'abord scien-

---

(1) Duclos (1704-1772) littérateur, moraliste, nommé historiographe du roi pour l'avoir appelé « un Héros supérieur à la gloire ».
Selon Dangeau, son *Histoire de Louis XI* est un ouvrage d'aujourd'hui, fait avec l'érudition d'hier.

(2) Grimm (1723-1807) célèbre écrivain allemand, vécut longtemps à Paris, y fut accueilli avec la plus grande faveur dans les milieux mondains et philosophiques.

tifique et littéraire, avant de revêtir un caractère politique et social.

Mais, dira-t-on, devant ces tendances cosmopolites, internationales, quel était son sens du patriotisme ? Pour en parler avec équité, il faut se reporter dans l'ambiance des idées des XVII⁰ et XVIII⁰ siècles.

En ces temps révolus, les victoires des armées françaises étaient plutôt des succès dynastiques, et les troupes contenaient très souvent des mercenaires. Les frontières de la France, — encore mal définies — n'étaient point menacées. Le sentiment du patriotisme a pris naissance aux guerres de la Révolution et de l'Empire, guerres vraiment nationales dès lors.

Jusque-là, le grand public enfermait l'honneur et le prestige de la France dans la pensée et non dans les armes.

Le patriotisme c'était encore faire de la France « l'institutrice des nations » et la lancer, la première, dans les voies de la civilisation et du progrès. C'est dans ces dispositions qu'on concevait l'idéal de la solidarité humaine, un large cosmopolitisme, parfaitement légitime, et très noble, puisque la patrie ne redoutait aucune menace venue du dehors.

Fontenelle a été un des créateurs de la pensée française, c'est-à-dire de la pensée universelle d'une vaste portion de l'humanité.

Il n'est pas sans intérêt de découvrir, chez lui, un vague et timide désir d'instaurer un certain sens social. « C'est un devoir, écrivait-il un jour, c'est un devoir pour l'historien de s'étendre sur des forces sociales, comme le physicien parle des forces de la nature, sans colère et sans mépris. »

Anticipation intéressante, et on doit tenir compte, à l'actif de ce savant, d'avoir effleuré ce sentiment de soli-

darité. Notons, en passant, que La Bruyère proclamait :
« Le plaisir le plus délicat, faire celui des autres. »

Au début du XVIII° siècle il restait — ou plutôt il y avait — à faire sur ces questions un immense bond. Fontenelle l'avait pressenti, indiqué. Il entrevoyait l'avènement prochain d'une civilisation différente, transformée par la science, mécanisée en quelque sorte que lui montrait son imagination anticipatrice, son puissant effort compréhensif de l'avenir.

Economiste d'avant-garde, il annonçait la productivité : Un homme qui offre de cultiver les terres d'un autre, mieux qu'il ne les cultive, y sera reçu, en payant au propriétaire le revenu qu'elles produisent. Au bout de trois ans, le propriétaire les reprendra s'il veut, et, s'il ne les fait pas bien valoir, on pourra encore, après trois ans, faire cette espèce d'enchère sur lui.

A propros des techniciens :

« Que l'on ait, présentement une plus grande facilité pour conduire les rivières, de tirer des canaux et d'établir des navigations nouvelles, parce que l'on sait, sans comparaison mieux niveler un terrain et faire des écluses, à quoi cela aboutit-il ?

« Des maçons et des mariniers ont été soulagés dans leur travail. Eux-mêmes ne se sont pas aperçus de l'habileté des géomètres qui les conduisaient. Ils ont été mus, à peu près comme l'est une âme qu'il ne connaît pas. Le monde s'aperçoit, encore moins, du génie qui a présidé à l'entreprise, et le public ne jouit du succès qu'elle a eue qu'avec une espèce d'ingratitude. » (1)

_____

(1) « L'esprit d'invention, disait Bergson, a créé une foule de besoins nouveaux. Il ne s'est point encore assez préoccupé d'assurer au plus grand nombre, à tous, si c'était possible, la satisfaction des besoins anciens. Plus simplement, sans négliger le nécessaire, il a trop pensé au superflu. Tous ces efforts pourraient, d'ailleurs, se corriger : la machine ne serait plus alors que la grande bienfaitrice de l'humanité. »

AU SOIR DE LA VIE

Fontenelle habita longtemps chez son oncle et parrain Thomas Corneille, rue d'Argenteuil, où mourut, d'ailleurs, le grand Corneille.

Puis, il fixa son domicile chez Le Haguais, avocat général à la Cour des Aides.

Bientôt, le Régent lui offrit un logement au Palais-Royal, jusque vers 1730.

Vers l'époque de son octogénariat, il alla s'installer chez son neveu à la mode de Bretagne, M. Richer d'Aube (1) qui mourut en 1751. Sa sœur Mme de Montigny vint remplacer M. d'Aube, auprès du savant, et entourer le vieillard de ses soins assidus et de ses prévenances, à son domicile rue Saint-Honoré.

Comme Directeur de l'Académie des Sciences, Fon-

---

(1) Connu par cette épigramme de Rulhière (1731-91), écrivain, protégé de Voltaire, attaché à la maison du roi :
« Avez-vous, par hasard connu feu M. d'Aube ?
Qu'une ardeur de dispute éveillait avant l'aube ? »
Et voici une amusante anecdote, rapportée par une lettre de M. de Croismare au P. André :
« M. d'Aube n'aimait pas les asperges au beurre, préparation préférée de Fontenelle, à qui l'on n'en servait jamais. A l'annonce du décès de M. d'Aube, son parent et ami, le savant dit simplement : « Enfin, nous mangerons désormais des asperges au beurre ! »

tenelle avait reçu en 1721 le Cardinal Dubois (2), puis Néricourt, dit Destouches, (1680-1754), poète comique, auteur du *Glorieux*, Mirabaud, traducteur du Tasse, Bussy-Rabutin, Vauréal.

Pendant 42 ans, il prononça les éloges de 69 académiciens, en des pages qui leur assurèrent une place de choix parmi les maîtres de la connaissance du XVIII° siècle, et qui traçaient leur portrait avec un saisissant relief.

En 1751, il y avait 50 ans qu'il appartenait à l'illustre compagnie, il y prononça ces paroles, que ses confrères ne purent entendre sans quelque émotion :

« Cinquante ans se sont écoulés depuis mon entrée dans cette académie. Tous ceux qui la composent présentement je les ai tous vu entrer ici, tous naître dans le monde littéraire, et il n'en est absolument aucun, à la naissance duquel je n'ai contribué. »

Il devait vivre encore seize ans, il avait alors 84 ans. Pendant 66 années il porta le titre d'académicien. Malgré son grand âge, il se portait encore fort bien (3).

Mais, un matin de 1751, il s'aperçut brusquement, qu'il ne pouvait plus lire les gros caractères, et, pourtant la veille au soir, il avait lu sans peine à la lueur d'une bougie Colombat.

----

(2) Flourens a dit : « C'est le seul homme qu'il ait eu le tort de louer. »

(3) Son excellente santé, il la devait à sa sage tempérance. Il aimait à répéter :
   « Par sa bonté, par sa substance
   Le lait de ma vache a refait ma santé.
   Et je dois plus, en cette circonstance,
      Aux vaches qu'à la Faculté. »

On lui chercha une lectrice ; et, provisoirement, Mme de Forgeville vint tenir cet emploi.

Elle lisait fort intelligemment, et, de dame de compagnie intérimaire, elle devint lectrice et secrétaire définitive de Fontenelle.

M. Dubois, médecin du prince de Conti, adressa ces vers à Mme de Forgeville, en 1755 :

> « Mon tendre hommage à celle
> Qui, tous les jours à Fontenelle
> Consacre sa voix et ses yeux ;
> Pour prix d'un don si précieux,
> Puisse l'amie être immortelle.
> Puisse l'ami, rival des Dieux,
> Toujours galant, toujours fidèle
> Oublier son rang dans les cieux,
> Pour vivre ici-bas avec elle ! »

Au cours des trois dernières années de sa vie, les infirmités apparurent, cécité, surdité, et quelques évanouissements, dont il revenait assez facilement.

Mais une de ces faiblesses le prit le samedi matin 8 janvier de l'année 1757. Cette fois l'avertissement était sérieux, et il n'en sortit qu'imparfaitement.

Le samedi précédent, 1er janvier, il avait demandé, de lui-même — conviction ou conformisme — à recevoir les sacrements ; ce qu'il fit en pleine connaissance.

Il dit au curé de Saint-Roch :

« Monsieur, vous m'entendrez mieux que je ne vous entendrais. Je fais mon devoir, et le vôtre, dans les circonstances présentes.

« Je vous déclare donc que j'ai vécu, et veux mourir, dans la foi de l'église catholique, apostolique et romaine.»

Depuis quelques années, il entretenait des relations

suivies avec le Père Bernard, d'Arras, capucin et théologien.

Jusque dans l'agonie, Fontenelle avait conservé, sur son visage, une grande sérénité.

L'avant-veille de sa mort, son médecin lui demandait : « Vous souffrez ? — Non, je sens seulement une difficulté d'être. » (1)

Il mourut doucement, le 9 janvier 1757, à cinq heures de l'après-midi. Il s'éteignit sans maladie, sans douleur « par la seule nécessité de mourir » (comme il l'avait dit d'un des savants qu'il a loués).

C'est la mort qu'il avait toujours souhaitée.

Dans une lettre du 20 janvier 1757, Voltaire annonça simplement : « Fontenelle est mort à cent ans ».

Piron, voyant passer le convoi funèbre, eut cette réflexion :

« C'est bien la première fois que M. de Fontenelle sort de chez lui, pour ne pas aller dîner en ville. »

L'attentat de Damiens contre Louis XV avait eu lieu le 5 janvier précédent.

Dans d'autres temps la mort de Fontenelle aurait provoqué une profonde émotion, et sensation parmi les honnêtes gens. Gazettes et revues, petites feuilles lui auraient consacré de longues notices, et de vibrants éloges.

Mais l'événement de Versailles avait trop attiré et retenu l'attention de tous pour laisser à quiconque le loisir de penser à autre chose.

_____

(1) Derniers moments d'un grand sage : Comme on demandait à Socrate, qui venait de prendre la cigüe : « Sens-tu quelque chose ? — Non, je ne sens rien. »

FONTENELLE ET LA CRITIQUE

Il a paru intéressant, et utile, de donner des extraits des appréciations portées sur Fontenelle, son œuvre, son influence, par ses contemporains d'une part, et par la postérité ensuite.

Pierre Bayle « louait l'exactitude des citations, c'est un talent plus difficile qu'on ne le croit ».

Aussi mentionnera-t-on les auteurs cités.

« Il n'a rien inventé, a dit Voltaire, mais il a rendu fort bien compte des inventions des autres. Et il faisait passablement de jolis vers et de grands calculs...

« Il a été au-dessus de tous les savants qui n'ont pas eu le don d'inventer.

« Il n'a rien créé, si ce n'est peut-être l'esprit de son siècle. »

D'Alembert le louait d'avoir appris aux savants à secouer le joug du pédantisme.

Duclos constatait en lui une certaine fermentation de raison universelle.

Pour Vauvenargues, il a donné de nouvelles lumières au genre humain.

« Fontenelle, a dit Cuvier, par la manière claire, lucide dont il exposait les travaux de l'Académie, concourut à répandre le goût des sciences, plus peut-être qu'aucun de ceux qui en traitèrent de son temps. »

De Garat : « En changeant de siècle Fontenelle change tout à fait de rôle et de caractère. Il avait dans le précédent porté la robe de l'adolescence. Il ne parut, dans celui-là, que revêtu de la robe virile. Il abrégea et couvrit de fleurs la suite de toutes les connaissances humaines.

« Son esprit peut être considéré comme ayant fait naître une mémorable époque, en ce qu'il a marqué et préparé le passage du siècle de l'imagination à celui de la philosophie. » (1)

Condorcet a vengé Fontenelle du reproche d'égoïsme : « Il sortait, pour les autres, de cette négligence de cette paresse qu'il se croyait permis d'avoir pour ses propres intérêts. Son amitié était vraie, et même active.

« Il connaissait surtout les peines de la sensibilité et il avouait qu'elles étaient les plus cruelles qu'il ait éprouvée. »

Présentant l'édition de 1825 des Eloges des savants, édition Salmon en deux volumes, J.-B.-J. Champagnac disait :

« Ce même esprit d'analyse qui l'avait si bien guidé dans la théorie de notre théâtre, Fontenelle l'a aussi porté dans l'*Histoire de l'Académie des Sciences,* et l'a exercé avec un talent original sur les matières les plus abstraites et les plus épineuses.

« Ses travaux sont, sans contredit, le monument le plus solide de sa gloire...

« C'est surtout chez Fontenelle que « le style c'est l'homme », toujours tempéré, toujours calme, cherchant

---

(1) L'imagination active (par opposition à la passive) est celle qui joint la réflexion, la combinaison à la mémoire. Elle rapproche plusieurs objets distants, elle sépare ceux qui se mêlent, les compose et les change. Elle semble créer, quand elle ne fait qu'arranger, car il n'est pas donné à l'homme de faire des idées, il ne fait que les modifier. (Voltaire, Temple du goût).

toujours à plaire, jamais à s'élever, tel était Fontenelle, tel est son style.

« Il pouvait comprendre le talent de son oncle, le grand Corneille, car son intelligence s'étendait à tout, mais était-il capable d'en sentir toute la force, et toute la sublimité ? »

« Fontenelle a cultivé un grand nombre de genres, et, sans être doué de l'universalité de Bacon et de Leibnitz, il avait une vue claire et facile de toutes choses. Il ne possède pas un talent supérieur en littérature, ni une étude profonde des sciences. Cependant, il a mérité d'obtenir un rang considérable dans les lettres.

« En tempérant le sérieux de l'instruction par un ingénieux badinage, il a su inspirer aux gens du monde du goût et de l'amour pour les connaissances abstraites, diriger vers elles la curiosité des personnes les plus frivoles, et devenir un actif propagandiste des méthodes expérimentales dans la science. » (Frédéric Godefroy).

Dans son important ouvrage historique, Michaud lui a consacré cette page :

« Parmi les hommes illustres qui furent ses amis, ses ennemis ou ses rivaux, aucun n'a été plus remarqué de son vivant, ni plus célèbre après sa mort. Il doit, principalement cet avantage à la variété de ses connaissances, à la finesse de son esprit, à la souplesse d'un talent étonnamment français et qui ne pouvait acquérir une entière perfection et se déployer aussi heureusement que dans le pays qui l'a vu naître, et dans le siècle où il a vécu. »

De Pierre Larousse : « *Les Eloges de Fontenelle* sont d'un grand savant et d'un bon écrivain. On y rencontre peut-être à un plus haut degré, que dans ses autres ouvrages la finesse, la discrétion, l'esprit et la clarté sans préjudice d'une compétence universelle dans toutes les sciences : mathématiques, physiques, histoire naturelle et philosophie.

« L'auteur s'y montre, également, moraliste consommé, et y fait preuve d'une grande connaissance des hommes. Il loue d'autant mieux, qu'à peine il semble louer. Il peint l'homme et l'académicien en portraits toujours ressemblants. Il ne flatte qu'en adoucissant les défauts : non en donnant des qualités qu'on n'avait pas... On peut lui reprocher quelques défauts. Mais tous ces défauts disparaissent devant la beauté et le charme de l'ouvrage. »

« Le principal mérite du grand ouvrage de Fontenelle, dit Villemain, a été la vérité. L'observation objective des faits fut sa règle de conduite. » A propos des savants, il disait : Il n'est pas possible de faire des portraits de fantaisie, mais des reproductions exactes de leurs œuvres, de leur personne.

Fontenelle trouvait, sans effort, des tours ingénieux, « ingeniosissimi » comme les appelait Leibnitz, et Villemain terminait par ce mot spirituel : « Il est quelquefois — dites plutôt toujours — simple, oui simple, quoique Fontenelle. »

Dans ses *Causeries du Lundi,* Sainte-Beuve a porté le jugement que voici :

« C'est Fontenelle qui donna le premier exemple de l'éloge académique, et le modèle, un modèle inimitable. Les 69 éloges qu'il prononça dans l'espace de 40 ans, forment le recueil le plus riche et le plus piquant qui se puisse imaginer. La manière n'est qu'à lui, et ce serait manquer de génie que de prétendre lui en rien dérober...

« L'éloge ne monte jamais au ton oratoire, et y affecte constamment celui d'une notice nette et simple, mais d'une simplicité, d'une rare distinction et toute exquise... L'expression, chez lui, est juste, et d'une propriété extrême, toujours exacte à la réflexion, spirituelle, quelquefois jolie, volontiers épigrammatique, même dans le sérieux...

« Fontenelle voulut préserver les savants, tout d'abord ceux qu'il louait, de l'inconvénient presque inhérent du panégyrique littéraire — je veux dire l'emphase et l'exagération. Il avait pour principe, qu'il ne faut donner dans le sublime qu'à la dernière extrémité, et à son corps défendant. »

A la fin du siècle dernier Emile Faguet portait ce jugement :

« Les *Eloges des Savants* ne sont rien de moins que l'histoire de la science en Europe pendant près d'un siècle, l'histoire d'une époque incomparablement importante de la civilisation... C'est le XVIII° siècle, siècle philosophique, siècle de l'Encyclopédie qui se préparait dans l'Académie depuis 1666, et, particulièrement, depuis sa réorganisation de l'année 1699..

« Non pas que les modestes savants du XVII° et du XVIII° n'offrent rien de l'esprit de Voltaire, de Diderot de d'Holbach, d'Helvétius, de Lamettrie.

« Ils sont tous parfaitement chrétiens, et, en matière de religion simples et soumis, ils ne songent qu'à aller au ciel en ligne perpendiculaire. Pénétrés de l'esprit de Descartes, ils enseignent, en matière de science, qu'il ne faut croire que ce qui est imposé à l'esprit par l'évidence et la démonstration, et ce principe sera bientôt appliqué à toutes choses...

« L'immense mouvement scientifique de 1650-1750, issu de Descartes et de Newton, et, on l'a vu, mettant pour un temps au second plan la littérature, remuant le monde ecclésiastique et l'inquiétant, remuant la Cour et la passionnant, remuant les salons et en changent complètement l'esprit, dans les *Eloges des savants* un tableau vif, animé, presque complet et flatteur, nous en trouvons en Fontenelle un peintre exact, minutieux, amusé, amusant, et qui est passionnément amoureux de son siècle. »

Au cours d'un voyage en Portugal, l'auteur de ces

lignes a eu la bonne fortune de trouver, à la Bibliothèque de l'Académie des Sciences de Lisbonne, quelques documents intéressants.

Ci-dessous des extraits de ces appréciations, en leur texte original, avec références.

Fontenelle revelou-se dotado de finissimo espiroto e de grande capacidade para a vulgarizaçao.

Educado pelos jesuitas dedicou-se as leis ; abandonando-as pela literatura e pela ciencia, em que cedo se distinguiu. Foi espirito subtil de estilo epigramatico, de juizo calme, de temperamento didactico, de caracter bondoso.

(Grande enciclopédia portuguesa et brasileira.) Vol. XI, 1950.

Fontenelle e de duas das mais brilhantes épocas literarias da França. Com ele se pode dizer que fecha nesse pais a literatura do seculo XVII, e se inaugura ao mesmo tempo o seculo XVIII.

Tendo exercido antes de Voltaire, uma especié de realeza literaria, tentou, como ele, todos os generos, mas por ser, talvez, menos temido tornou-se, na ocasiao, mais estimado.

Fez da ciencia, segundo as palavras de um biografo um instrumento de emancipaçao de consciencia, falando dela como de uma filosofia, rezao pela qual lhe conferiram a titulo de o primeiro membro da filosofia.

(Henrique Perdigao Dicionario universal, Porto 1940).

Fontenelle... coraçao frio mas espirito probo, com um fundo de cepticismo... Exerceu, antes de Voltaire, uma especie de realeza intelectual.

(Lello universal Porto tome I).

FONTENELLE ET LA CRITIQUE

Fontenelle pertenece por su esceptismo y per su pasion por la idea del, fue que so al siglo XVIII y lo mismo que en sus Dealogues en los digressions sur les Anciens et Modernes 1688, se muestra como verdadero precursor.

(Enciclopedia universal española, Tome XXIV, photo par Galloche, musée de Versailles).

But it is the latter rather than to the former period that te properly belongs, and it is not a little significant that while as a poet and of fashion he was « the butt of all the clever men in Paris » during the first fifty years of his life, he latterly came to be « a fire and authorithy in the intelectual life » of the period.

(Encyclopedia britanica).

Die *Entretiens sur la pluralité des mondes* stellen die moderne Astronomie in einer der Gesellschaft Welt angemessenen klaren Eleganz fässlich dar. F. beurteilt die religiösen, dichterischen und ethischen Kräfte die libenswürdige, aber wahnhafte Spiele des mehr auf Täuschung als auf wahrheit angewiesenen mensch. Geistes.

(Gottsched, Grosses Brockhaus tome 4, 1954).

PENSÉES DE FONTENELLE

Au long de ses œuvres, il est curieux, et profitable de glaner çà et là, quelques-unes des pensées qui tombaient de sa plume, et dont certaines semblent mériter l'attention, la retenir aussi, touchant les sujets les plus divers, littérature, amour, plaisirs, art de la conversation, culture générale, femmes...

Parler c'est semer, écouter c'est récolter.

La vérité est comme un coin d'acier qu'on ne peut faire entrer dans le bois qu'en le présentant par la pointe.

Le plus grand secret pour le bonheur, c'est d'être bien avec soi.

Les petits biens que nous négligeons, que savons-nous si ce ne seraient pas les seuls qui s'offrent à nous ?

Quelquefois un grand homme donne le ton à tout un siècle. Et celui (Descartes) à qui on pourrait, le plus légitimement, accorder la gloire d'avoir établi un nouvel art de raisonner, était un excellent géomètre.

Les plaisirs ressemblent aux terres marécageuses, sur lesquelles on est obligé de courir légèrement, sans arrêter jamais le pied.

Il reste un souhait à faire sur une chose dont on n'est pas le maître : c'est d'être placé par la fortune dans une situation médiocre. Sans cela le bonheur et la vertu seraient trop en péril.

Une nation qui aurait pris sur les autres une certaine supériorité dans les sciences s'apercevrait bientôt que cette gloire ne serait pas sûre.

Dans un concert de louanges, il est facile de distinguer les voix de ceux qui admirent, et les voix de ceux qui aiment.

Quand on a beaucoup de mérite, c'en est le comble d'être fait comme les autres.

Vous avez passé votre jeunesse, vous deviendrez bientôt vieux et infirme. Voilà à quoi il faut que vous songiez. Il faut vous préparer une arrière-saison tranquille, heureuse, indépendante.

La nature a fait aux hommes des plaisirs simples, aisés, tranquilles, et leur imagination leur en a fait qui sont embarrassants, incertains, difficiles à acquérir. Mais la nature est bien plus habile à leur faire des plaisirs qu'ils ne le font eux-mêmes... La nature a inventé l'amour qui est fort agréable, et ils ont inventé l'ambition dont il n'était pas besoin.

La vie ne consiste pas à prendre l'air dans les poumons et à le rendre. Elle consiste à prendre dans son cœur et à rendre des sentiments.

Qui ôterait à l'Europe les formalités la rendrait bien semblable à l'Amérique. La civilisation mesure tous nos pas, dicte toutes nos paroles, embrasse tous nos discours, mais elle-même ne va point jusqu'à nos sentiments, et toute la justice qui devrait se trouver dans nos desseins, ne se trouve que dans nos prétextes.

La plupart de ceux qui ont excellé en quelque genre n'y ont point eu de maître.

Il y a beaucoup d'esprit à avoir de certaines difficultés et même à ne les pouvoir résoudre. C'est avoir bien peu d'esprit que de trouver des réponses à ce qui n'en a pas.

Quand deux amis sont dans des postes qui, naturellement les rendent rivaux, il ne faut plus leur demander des preuves d'équité, de droiture, et même de générosité.

On peut bien combattre ces grands auteurs Descartes, Newton, ...et sans leur manquer de respect, pourvu qu'on reconnaisse qu'eux-mêmes nous ont mis en état de les combattre.

On ne doit étudier que pour s'éclairer l'esprit, et non pour charger la mémoire, car l'esprit a besoin de lumières et n'en a jamais trop ; mais la mémoire est, le plus souvent, accablée de fardeaux inutiles, aussi ne cherche-t-elle qu'à les secouer.

C'est prolonger la vie des grands hommes que de poursuivre dignement leurs entreprises.

Le courage qu'il faut pour supporter les maladies cruelles et les redoutables opérations de la chirurgie est tout différent de celui qu'on demande à la guerre, et même susceptible d'être forcé, et il est permis d'en manquer dans son lit.

Le temps bien ménagé est beaucoup plus long que n'imaginent ceux qui ne savent guère qu'en perdre.

L'Athénien Cimon ayant fait beaucoup de Perses prisonniers, exposa, en vente, d'un côté leurs habits, et de l'autre leurs corps tout nus. Comme leurs habits étaient d'une grande magnificence il y eut presse à les acheter, mais pour les hommes, personne n'en voulait.

De bonne foi, je crois que ce qui arriva à ces Perseslà arriverait à bien d'autres si l'on séparait leur mérite personnel d'avec celui que la fortune leur a donné.

La coutume a, sur les hommes, une force qui n'a nullement besoin d'être appuyée de la raison.

Les hommes empruntent tellement sur l'avenir par leur imagination et leurs espérances, que, quand il l'est, enfin présent, ils trouvent qu'il est tout épuisé et ils ne s'en accommodent plus.

Pour juger de la beauté d'un ouvrage, il suffit de le considérer en lui-même ; mais pour juger du mérite de l'auteur il faut le comparer à son siècle.

Le bonheur d'être vertueux peut parfois venir de la nature, mais le mérite de l'être ne peut jamais venir que de la raison.

L'art de la parole est beaucoup plus lié qu'on ne le croit peut-être avec celui de penser. Il semble que cet art ne s'occupe que des mots, mais si ces mots répandent souvent des idées fines et déliées, il a servi à les rendre telles qu'on les sent.

La philosophie, si j'ose dire, ressemble à un certain jeu à quoi jouent les enfants, et l'un d'entre eux qui a les yeux bandés court après les autres. S'il en attrape quelqu'un, il est obligé de le nommer ; s'il ne le nomme pas, il faut qu'il lâche la prise, et qu'il recommence à courir.

Il en est de même de la vérité, il n'est pas que nous autres philosophes, quoique nous ayons les yeux bandés, nous ne l'attrapions quelquefois; mais quoi nous ne lui pouvons pas soutenir que c'est elle que nous avons attrapée, et dès ce moment-là même elle nous échappe.

Tout le monde ne sait pas voir, on prend pour l'objet entier la première face que le hasard nous a présentée. Le philosophe a la patience de chercher toutes les autres, et l'art de les découvrir, ou du moins, la précaution de soupçonner celles que ne découvre personne.

Une grande attention est une espèce de microscope qui découvre les objets.

Bien des grands hommes, surtout en mathématique, s'épargnent dans leurs ouvrages le travail de l'arrangement, beaucoup moins flatteur et souvent plus pénible que celui de la production même. Souvent aussi, ils cherchent, par des sous-entendus hardis, la gloire de paraître profonds, ils deviennent inintelligibles.

Un médecin a presque si souvent à faire à l'imagination de ses malades qu'à leur poitrine ou à leur foie. Et il faut savoir traiter cette imagination qui demande des spécifiques particuliers.

Descartes et Newton, bien qu'ils soient dans une grande opposition, ont eu de grands rapports. Tous deux ont été des génies de premier ordre, nés pour dominer sur les autres esprits et pour fonder des empires.

Les rochers les plus affreux et presque inaccessibles se changent, pour un botaniste, en une magnifique bibliothèque, où il a le plaisir de trouver tout ce que sa curiosité demande pour être satisfaite.

La Beauté a un droit naturel de commander aux hommes, et la valeur n'a qu'un droit acquis par la force. Les Belles sont de tous pays, et les rois mêmes et les conquérants n'en sont pas.

La plupart des femmes aiment mieux, ce me semble, qu'on médise un peu de leur vertu que de leur esprit ou de leur beauté.

Je ne décide point quel est le mérite d'une femme, mais, dans l'usage ordinaire, la première question que l'on pose sur une femme que l'on ne connaît point : Est-elle belle ; la seconde : a-t-elle de l'esprit. Il arrive rarement que l'on fasse une troisième question.

La beauté de l'esprit donne l'admiration, celle de l'âme, de l'estime, celle du corps donne de l'amour. L'estime et l'admiration sont assez tranquilles ; il n'y a que l'amour qui soit impétueux.

L'art des conversations amoureuses est qu'elles ne soient pas toujours amoureuses. Il faut faire de petites sorties afin que les retours vers ce qu'on aime soient beaucoup plus agréables.

Le personnage d'un homme qui a été amant et qui ne veut plus être qu'ami est très difficile.

De part et d'autre les amants se plaignent des absences. On ne fait que son devoir quand on s'en plaint.
Cependant, pourvu qu'elles ne soient pas trop longues, elles font tous les biens du monde. Elles renouvellent un amour qui vieillissait, et, s'il languissait, elles le réveillent.

Ce serait, à la vérité, pousser la chose un peu loin, que de se procurer des absences tout exprès ; mais enfin, lorsque le hasard nous en procure nous devons pester contre elles, et soupçonner, en même temps, que nous pourrions bien leur devoir de l'obligation.

Les grands plaisirs changent les heures en moments, mais l'art du Sage peut changer les moments en heures.

La lecture des romans peut assez accommoder les deux extrémités de la vie : la jeunesse, infiniment moins touchée du simple vrai que d'un merveilleux toujours passionné, la vieillesse qui, devenue moins sensible au vrai, souvent douteux, ou peu utile, a besoin d'être réveillée par le merveilleux.

Les talents dénués de fortune aspirent tous à Paris. Ils s'y rendent presque tous, et s'y unissent les uns aux autres.

TROISIEME PARTIE

ÉLOGES DES SAVANTS

Ces deux volumes sont une des œuvres capitales de Fontenelle, qui projette une vive lumière sur leurs travaux et découvertes, réalisés au cours d'une carrière pleine et parfois semée de dures épreuves.

Il y développe et explique leurs idées conductrices gonflées, quelquefois, de possibilités d'avenir.

On donnera donc, d'abord, et dans l'ordre chronologique la liste des 69 académiciens, dont il prononça l'éloge.

Sans doute, en la parcourant on constatera que plusieurs d'entre eux

« Ne sont plus que des noms dont le temps fait sa proie » suivant la charmante expression de La Fontaine.

Il est vrai, mais quelques-uns, hommes de premier plan en leur siècle, méritent que la postérité leur garde un souvenir. Car ils furent d'humbles devanciers, bien oubliés, de certaines conceptions, depuis longtemps dépassées, mais qui ont germé par la suite (1).

C'est pourquoi il a semblé bon de leur consacrer chapitres, pages ou lignes. On y verra certains points d'histoire, et çà et là d'amusantes anecdotes.

_____

(1) « Croire tout découvert est une erreur profonde,
C'est prendre l'univers pour les bornes du monde ».
(Lemierre, littérateur, 18ᵉ siècle).

Le premier volume des « Eloges » paru en 1708, contenait les éloges de 12 savants : Bourdelin, Tauvry,... et les douze premiers de la liste donnée ci-après, dont l'abbé Gallois (2).

Les volumes suivants sont de 1722 et années ultérieures.

(2) Abbé Gallois dont Fontenelle a dit : « La charité chrétienne donnait à son désintéressement naturel la dernière perfection. »

LISTE CHRONOLOGIQUE
DES 69 SAVANTS
DONT FONTENELLE PRONONÇA L'ÉLOGE

BOURDELIN.
TENVRY.
TUILLIER.
VIVIANI.
DE L'HOPITAL.
BERNOULLI.
AMONTONS.
DU HAMEL.
RÉGIS.
VAUBAN.
Abbé GALLOIS.
DODART.
TOURNEFORT.
TSCHIRNHAUS.
POUPART.
CHAZELLES.
GUGLIELMINI.
CARRÉ.
BERGER.
CASSINI.
BLONDIN.
POLI.
MORIN.
LÉMERY.

HOMBERG.
MALEBRANCHE.
SAUVEUR.
PARENT.
LEIBNITZ.
OZANAM.
DE LA HIRE.
LA FAYE.
FAGON.
Abbé DE LOUVOIS.
DE MONTMORT.
ROLLE.
RENAU D'ELIÇAGARAY.
DANGEAU.
Abbé DES BILLETTES.
D'ARGENSON.
COUPLET.
MÉRY.
VARIGNON.
PIERRE Ier.
LITTRE.
ARTSOECKER.
DELISSE.
MALEZIEU.

NEWTON.

Le P. RAYNEAU DE TALLARD.

Le P. Sébastien TRUCHET.

BIANCHINI.

MARALDI.

VALINCOUR.

DU VERNEY.

Comte MARSIGLI.

GEOFFROY.

RUSCH.

DE MAISONS.

CHIRAC.

DE LOUVILLE,

LAGNY.

DE RESSONS.

SAURIN.

BOERHAAVE.

MANFREDI.

DU FAY.

PERRAULT.

PREMIERS DISCOURS

Le marquis de l'Hôpital (1661-1704) fut un mathématicien d'avant-garde.

Il est l'auteur de deux ouvrages remarquables :

Analyse des infiniments petits, en 1696 (1) et *Traité analytique des sections coniques* dont Fontenelle a écrit la préface.

« L'Hôpital montrait peu de goût pour le latin que lui voulait enseigner son précepteur. Mais il était, en revanche, passionné pour les cercles et les triangles. Alors l'inclination naturelle, qui annonce presque toujours les grands talents, se déclara. On lui donna un autre maître, qui lui communiqua sa propre passion pour la géométrie.

Ce que l'on obtient par le travail n'égale point les faveurs gratuites de la nature. L'Hôpital agrandit et cultiva ses dons innés.

Comme tant d'autres, comme Leibnitz, il allait toujours par la voie simple et directe à la vérité.

Une espèce de fatalité veut qu'en tout genre les méthodes ou les idées les plus naturelles ne soient pas celles qui se présentent le plus naturellement.

(1) Cavalieri (1598-1647), géomètre italien, ami de Galilée, auteur de la méthode des « indivisibles », pour calculer les aires, les volumes et déterminer les centres de gravité. Cette méthode a rendu de grands services avant l'invention du calcul intégral.

On se met, presque toujours en grands frais pour les recherches qu'on a entreprises, et il y a peu de génies, heureusement avares, qui n'y fassent que la dépense absolument nécessaire. Ce n'est pas qu'il faille de la richesse ou de l'abondance pour fournir aux dépenses inutiles. Mais il y a plus d'art à les éviter, et même plus de véritables richesses.

Vers 1663, Bernoulli avait proposé un problème, dit problème de Pascal sur les courbes et leurs tangentes. Cette difficile question était posée devant une réunion de savants, Leibnitz, Allemand; Huyghens, Hollandais ; Bernoulli (2), Suisse; l'Hôpital, Français. Ce dernier, de beaucoup le plus jeune, trouva rapidement le premier la solution.

Cependant, peu de jours après, il entra dans le service, mais sans renoncer à sa plus chère passion. Il étudiait la géométrie jusque sous la tente, et ce n'était pas seulement pour étudier qu'il se retirait, c'était aussi pour cacher son application à l'étude. »

Comme Fontenelle avait envoyé au fils du Régent un de ces ouvrages, fort apprécié de S' Gravesande (1), il y joignit ces mots :

« C'est un livre, Monseigneur, qui ne peut guère être entendu que par sept ou huit géomètres de l'Europe, et l'auteur de ces lignes n'est pas de ceux-là. »

GUILLAUME AMONTONS (1663-1705).

Atteint d'une surdité, qui le retrancha presque entiè-

---

(2) Malgré l'opposition de son père, il voulut étudier l'astronomie. Il disait : « Je suis parmi les astres malgré mon père. »

(1) S' Gravesande (1688-1742), mathématicien et philosophe hollandais, donna des travaux remarquables en optique et en physique. L' « Anneau de S' Gravesande » fut l'objet d'une expérience célèbre, démontrant que la chaleur dilate les corps.

rement du commerce des hommes, il commença de penser aux machines, puis il se mit dans la géométrie.

« Peut-être ne prendra-t-on que pour un jeu d'esprit, mais du moins très ingénieux, un moyen qu'il inventa de faire savoir tout ce qu'on voudrait à une très grande distance, par exemple de Paris à Rome, en très peu de temps comme en trois ou quatre heures, et même sans que la nouvelle fut sue dans tout l'espace entre elles.

Cette proposition, paradoxale et chimérique en apparence fut exécutée dans une petite étendue de terrain, une fois en présence de Monseigneur, et une autre en présence de Madame.

Car, quoique M. Amontons n'entendit nullement l'art de se produire dans le monde (il était déjà connu des grands princes, à force de mérite), le secret consistait à disposer dans plusieurs postes successifs des gens qui, par des lunettes de longue vue, ayant aperçu certains signaux du poste précédent, les transmissent au suivant, et toujours ainsi de suite. Et ces différents signaux étaient autant de lettres d'un alphabet, dont on n'avait le chiffre qu'à Paris ou à Rome.

La grande portée des lunettes faisait la distance des postes dont le nombre était aussi grand qu'il fut possible, et, comme le second poste faisait des signaux au troisième, à mesure qu'il les voyait faire au premier, la nouvelle se trouvait portée de Paris à Rome, presque en aussi peu de temps qu'il en fallait pour faire des signaux à Paris.

La place que cet académicien tenait dans la compagnie était presque unique. Il avait un don singulier pour les expériences, des idées fines et heureuses, une grande dextérité pour l'exécution et l'on croyait voir revivre en lui M. Mariotte, si célèbre dans ces mêmes travaux. »

Amontons est donc le précurseur des frères Chappe.

Jean-Baptiste DUHAMEL (1624-1706).

Prêtre et saint prêtre, oratorien, il avait publié à 18 ans un petit livre, avec figures, et d'une manière fort simple, sur les trièdres sphériques, et sur la trigonométrie, pour faciliter l'entrée à la connaissance de l'astronomie.

Puis, il entra dans les ordres, et fut curé de Neuilly-sur-Marne.

Il avait été aumônier du roi et publia divers ouvrages de philosophie et d'astronomie.

C'est à lui qu'on doit la première *Histoire de l'Académie des Sciences,* éditée en 1698.

Car Colbert avait nommé ce savant au poste de Secrétaire de cette compagnie nouvellement fondée.

« Il fallait à cette académie un secrétaire qui entendît et parlât bien toutes les langues difficiles de ses savants, et qui fût, auprès du public leur interprète commun, qui pût donner à tant de matières épineuses et abstraites des éclaircissements, un certain ton, et même des agréments, que les auteurs négligent parfois de leur donner, et que, cependant, la plupart des lecteurs demandent, enfin que par son propre caractère, fut exempt de partialité et propre à rendre un compte désintéressé des contestations académiques. »

Ces qualités qui avaient désigné Duhamel à l'attention du Ministre, ne les retrouvera-t-on pas chez Fontenelle ?

Maréchal Le Prestre de VAUBAN (1633-1707).

Il voulait être appelé simplement « Commissaire général des fortifications ».

Vauban fit montre d'un sens social remarquable. Dans son *Projet de dîme royale* il préconisait l'établissement de l'égalité de l'impôt. Malheureusement, il fut disgrâcié par le roi : il ne faut pas avoir raison contre, ou avant, son temps.

C'est pour lui que Saint-Simon a créé le terme de « patriote ».

« Son père qui n'était qu'un cadet ne lui laissa qu'une bonne éducation et un mousquet...

Il nous suffit d'avoir rapporté, avec quelque détail, ses premiers commencements, plus remarquables que le reste dans une vie illustre, quand la vertu, dénuée de tout secours étranger, a eu besoin de se faire jour à elle-même.

Désormais Vauban est connu, et son histoire devient une partie de l'histoire de France.

Souvent le maréchal de Vauban a secouru de sommes assez considérables des officiers qui n'étaient pas en état de soutenir le service, et quand on venait à le savoir, il prétendait leur restituer ce qu'il recevait de trop des bienfaits du roi.

Il en a été comblé durant le cours d'une longue vie, et il a eu la gloire de ne laisser, en mourant, qu'une fortune médiocre. Il était passionnément attaché au roi, sujet d'une fidélité ardente et zélée et nullement courtisan. Il aimait infiniment mieux servir que plaire.

Personne n'a été, aussi souvent que lui, ni avec tant de courage, l'introducteur de la vérité. Il avait, pour elle, une passion presque imprudente, et incapable de ménagements. Ses mœurs ont tenu bon contre les dignités les plus brillantes et n'ont pas combattu. »

En un mot, c'était un Romain qu'il semblait que notre siècle eût dérobé aux plus heureux temps de la république. »

Denis **DODART** (1634-1707), médecin.
Il fut médecin de la reine et de la princesse de Conti

qui le prit en amitié. (Son fils fut médecin des Dames de Saint-Cyr) (1).

C'était un homme de bien.

Guy-Patin, qui n'avait pas l'éloge facile, écrivait :

« Ce jourd'hui, 5 juillet 1660, nous avons fait la licence de nos vieux bacheliers. Ils sont sept en nombre, dont le second nommé Dodart, âgé de 27 ans, est un des plus sages et des plus savants hommes du siècle. Ce jeune homme est un prodige de sagesse et de science... C'est un garçon incomparable... »

Les contemporains assuraient que quand Guy-Patin parlait de quelqu'un sans en dire du mal, on pouvait présumer qu'il en pensait du bien.

« Conseiller, médecin du roi, régent de la Faculté de médecine de Paris, quoique sans lettres il avait beaucoup d'esprit, et, ce qui est préférable, un bon esprit.

Botaniste, il a publié des ouvrages sur l'histoire des Plantes. Il possédait, au souverain degré, l'esprit de discussion et de recherches.

Dodart faisait des expériences sur lui-même : Il trouva qu'au carême de 1677 il pesait 116 livres et une once. Il fit ensuite un carême rigoureux ; il ne mangeait et ne buvait que vers sept heures du soir ; il vivait de légumes, la plupart du temps, et sur la fin du carême, de pain et d'eau. Le samedi de Pâques, il ne pesait plus que 107 livres 12 onces. Il avait donc perdu, en 46 jours, 8 livres 5 onces, qui faisaient la quatorzième partie de sa substance. Il reprit sa vie ordinaire, et, au bout de quatre mois, il avait regagné 4 livres... Ainsi on répare facilement ce que le jeûne a dissipé.

...Si l'on a de la peine à faire le personnage d'un inférieur quand on reçoit, on en a encore plus à ne pas faire celui du supérieur quand on donne. »

_____

(1) Il introduisit la pyrianalyse en phytochimie.

PERSONNALITÉS DIVERSES

Louis CARRE (1663-1711). De Clofontaine, près Nangis.

Il était le fils d'un laboureur de la Brie. Peu cultivé dans son enfance, il acquit, peu à peu, une certaine instruction émaillée de lacunes.

Il aimait l'enseignement, et donna un premier travail sur le calcul intégral. Elève de Varignon.

« Il eut beaucoup de femmes pour disciples. La première de toutes s'aperçut bien vite qu'il avait quantité de façons de parler vicieuses.

Elle lui dit que, en échange de la philosophie qu'il apprenait, elle lui voulait apprendre le français. Il reconnut que, sur ce point, il avait beaucoup profité avec elle.

Son commerce avec les femmes avait encore l'assaisonnement du mystère, car elles ne sont pas moins obligées à cacher les lumières acquises de leur esprit que les sentiments naturels de leur cœur ; et leur plus grande science doit être toujours d'observer, jusqu'au scrupule, les bienséances extérieures de l'ignorance.

Outre les femmes du monde, il eut des élèves parmi des religieuses, qu'il trouvait plus attentives, plus dociles, plus appliquées. »

Louis MORIN (1635-1715), Botaniste.

Aîné de 16 enfants, il était fils d'un contrôleur au grenier à sel, du Mans.

« Dès qu'il put marquer une inclination, il la marqua pour les plantes. Un paysan qui en devait fournir les apothicaires de cette ville fut son premier maître. L'enfant payait ses leçons de quelque menue monnaie, quand il le pouvait, et de ce qui devait faire son léger dîner du soir.

Avec la passion de la botanique, deux vertus naissent en lui : la libéralité et la sobriété.

Quand Tournefort alla herboriser dans le Levant, il pria Morin de faire, en sa place, les démonstrations des Plantes au Jardin royal ; et il le paya de ses peines, en lui rapportant, de l'Orient une nouvelle plante qu'il nomma « Morina orientalis ».

Il a nommé, de même des plantes la Dodarte, la Fagonne, la Bignonne, la Phélypée. Et ce sont là des sortes de grâce que les savants peuvent faire, non seulement à leurs pareils mais aux grands.

Une plante est un monument plus durable qu'une médaille ou un obélisque. Il est vrai, cependant qu'il arrive des malheurs, même aux noms attachés aux plantes : témoin la Nicotiane, qui ne s'appelle plus que le tabac. »

LEMERY (1645-1715), chimiste, médecin.

Natif de Rouen, il dut abjurer pour entrer à l'Académie des sciences, à laquelle appartinrent aussi ses deux fils.

Il était à la fois, chimiste, médecin, chirurgien, apothicaire, et avait installé un laboratoire.

Lémery fit son tour de France pour amasser des connaissances. Il ouvrit des conférences, prit des élèves pour pensionnaires, des Français ou des étrangers.

On peut dire que c'est ce savant qui passa de l'alchimie à la chimie. En 1675, il publia un *Cours de Chimie* dont le succès fut considérable. Il fut traduit en cinq langues.

Il prépara un grand nombre de médicaments, et il chercha à simplifier la thériaque qui se composait de 64 drogues assez hétérogènes. Presque toute l'Europe lui doit la connaissance de la Chimie.

« Les dames se pressaient dans le laboratoire de Lémery, moins une chambre qu'une cave, et presque un antre magique, éclairé d'une seule lueur des bougies...

C'était un homme d'un travail continu. Il ne connaissait que la chambre de ses malades, son cabinet, son laboratoire, l'Académie. Et il a bien fait voir que qui ne perd pas son temps en a beaucoup. Il était un bon ami, il a toujours vécu avec Régis, dans une liaison étroite, et sans aucune altération. La même probité et la même simplicité de mœurs les unissaient.

Nous sommes presque las de relever ce mérite dans ceux dont nous avons à parler. Il est une louange qui appartient, assez généralement, à cette espèce particulière et peu nombreuse des gens que le commerce des sciences éloigne de celui des hommes. »

MICHEL ROLLE (1652-1719), originaire d'Ambert, célèbre par le théorème qui porte son nom.

« Il végétait à Paris. Mais par bonheur il avait trouvé la solution d'un problème fort difficile. Cette trouvaille le fit connaître : Colbert qui avait des espions pour découvrir le mérite caché ou naissant délivra Rolle de l'extrême obscurité où il vivait, et lui donna une gratification qui devint, ensuite, une pension fixe. »

GUILLAUME HOMBERG (1) (1652-1715), Chimiste.

Né à Batavia, il fut d'abord avocat à Hambourg. Là il

_____

(1) Homberg appliqua la méthode de Dodart (pyrianalyse en phytochimie) à la belladone   et au chou.
On lui doit aussi d'avoir décrit l'acide borique.

se lia avec le fameux Otto de Guéricke, si connu par ses expériences des deux hémisphères. Il devint son collaborateur pour s'instruire dans les sciences expérimentales.

Il voyagea beaucoup, en Angleterre, puis en France.

« Quoiqu'il se fut donné entièrement à sa profession de physicien et chimiste, il sentait qu'il y avait quelque autre chose à connaître dans le monde que les lois arbitraires des hommes.

Durant son séjour à Paris, son père s'impatientant de sa longue absence, lui mandait impérativement de rentrer au logis familial. Comme il était exactement prêt à monter dans le coche du départ, à ce moment précis arriva un ordre du roi, porté sur indications de Colbert, pour rester à Paris. Après quelque hésitation le jeune homme décida de rester.

Colbert favorisait les lettres, non seulement par inclination naturelle, mais par une sage politique. Il savait que les sciences et les arts suffisent pour rendre un siècle glorieux, qu'ils étendent la langue d'une nation, peut-être plus que les conquêtes, qu'ils lui donnent l'empire de l'esprit et de l'industrie, également flatteur et utile...

Homberg fut déshérité par son père, intolérant, parce que le savant avait embrassé la religion catholique.

Il avait épousé la fille de Dodart qui fut toujours sa fidèle collaboratrice.

Son abjuration lui avait permis le mariage, et l'entrée à l'Académie des Sciences.

Homberg était un modeste. Eloigné de l'ostentation, il se faisait un plaisir de donner ce qu'il savait en chimie, botanique, physique et langues étrangèrfes.

Jamais on n'a eu des mœurs plus douces et plus sociables. Il était même homme de plaisir, car c'est un mérite de l'être, pourvu que l'on soit, en même temps quelque chose d'opposé. Une philosophie saine et paisible le disposait à recevoir sans trouble les différents événements de la vie, et le rendait incapable de ses agitations, dont on a, quand on le veut, tant de sujets. A cette tranquillité d'âme tient naturellement la probité et la droiture : on est hors de tumulte des passions, et quiconque a le loisir de penser ne voit rien de mieux à faire que d'être vertueux. »

Joseph SAUVEUR (1653-1716), Géomètre, physicien, professeur au Collège de France.

Il était fils d'un notaire.

Sauveur est le créateur de l'acoustique musicale. Il fut muet jusqu'à l'âge de sept ans, peu à peu cette pénible infirmité s'atténua.

« Les oraisons de Cicéron, les poésies de Virgile que la rhétorique fit passer en revue devant lui ne le tentèrent point.

Par hasard, l'arithmétique de Pelletier, du Mans, se présenta à lui ; il en fut charmé et l'apprit seul.

Cette infirmité de parler lui épargna tous les petits discours inutiles de l'enfance, mais peut-être l'obligea-t-elle à penser danvantage.

Il était, déjà, machiniste, construisait de petits moulins, il faisait des siphons avec des chalumeaux de paille, des jets d'eau, et il était ainsi l'ingénieur des autres enfants, comme Cyrus devint le roi de ceux avec qui il jouait.

Il avait poussé ses recherches sur la musique des anciens Grecs et Romains, Arabes, Turcs et Persans, tant il était jaloux que rien ne lui échappât de cette science des sons, dont il s'était fait un empire particulier. »

De la HIRE (Philippe) (1640-1718), mathématicien à qui l'on doit l'engrenage qui porte son nom et divers théorèmes sur l'ellipse et l'hyperbole, Fontenelle disait :

« Toutes ses journée étaient occupées par l'étude, et les nuits très souvent interrompues par les observations astronomiques. Nul divertissement que celui de changer de travail. Nul autre exercice corporel que d'aller de l'Observatoire à l'Académie, à celle d'architecture et au Collège royal. »

GODEFROY-GUILLAUME LEIBNITZ (1646-1718), philosophe et mathématicien (1).

« Chargé de missions diplomatiques à Paris, il y rencontre Arnauld, Pascal, de Roannez, Huyghens. Il découvrit le calcul différentiel, en même temps que Newton, ce qui amena une polémique entre ces deux savants.

Son œuvre essentielle *Nova méthodus pro maximis et minimis* est de 1684.

Il avait des facilités de communication qui le faisaient aimer de tout le monde. Il était né métaphysicien, et c'était une chose presque impossible qu'il ne le fut pas. Il avait l'esprit trop universel, je n'entends pas seulement « universel » parce qu'il allait à tout, mais encore parce qu'il saisissait « dans tout » les principes les plus élevés et les plus généraux, ce qui est le caractère de la métaphysique.

Un savant illustre qui est populaire et familier, c'est presque un prince qui le serait aussi. »

Cet autre grand savant, Viviani, a dit de Leibnitz :

« Phénix des esprits, et, pour tout dire, second Galilée dont il apprend que les découvertes, presque divines, ont beaucoup servi au marquis de l'Hopital, son ami, aux Bernoulli, et à plusieurs autres grands hommes. »

Et voici une amusante anecdote rapportée par Fontenelle :

_____

(1) Leibnitz avait entrepris, avec Bossuet de préparer la fusion des églises catholique et protestante.

« Leibnitz voyageait beaucoup pour visiter abbayes, consulter des archives, interroger des professeurs... Comme un jour il allait par mer, sur une petite barque, seul, il s'éleva une furieuse tempête. Le pilote qui ne croyait pas être entendu par un Allemand (qui entendait parfaitement l'italien) et qui le regardait comme l'auteur de la tempête parce qu'il était hérétique, proposa à ses matelots de le jeter à la mer, en conservant hardes et argent.

Sur cela, Leibnitz sans marquer aucun trouble, tira de sa poche un chapelet, toujours porté par précaution et l'égrena d'un air assez dévôt. Cet artifice lui réussit. Le marinier dit au pilote : « Il ne faut pas le tuer puisque ce n'est pas un hérétique, il n'est pas juste de le jeter à la mer. »

GUY-CRESCENT FAGON (1638-1718), médecin du roi.
Bel exemple de conscience professionnelle.
« Il diminua beaucoup les revenus de sa charge ; il se retrancha ce que les autres médecins de la Cour, ses subalternes, payaient pour leurs serments.

Quand les fonds manquaient pour l'entretien du Jardin royal, il y suppléait de ses deniers.

Toutes les maladies de Versailles lui passaient par les mains, et sa maison ressemblait à ces temples de l'antiquité où étaient en dépôt les ordonnances et les recettes qui convenaient aux maux différents.

Outre un profond savoir dans sa profession, il avait une érudition très variée, le tout paré et embelli par une facilité agréable de bien parler. La raison même ne doit pas dédaigner de plaire quand elle le peut. Il était attaché à ses devoirs jusqu'au scrupule.

L'assiduité d'un homme aussi désintéressé, et qui au lieu de demander, refusait, n'était pas celle d'un courtisan. »

C'est Fagon qui recommanda Tournefort à l'attention du roi.

« Il fut longtemps un grand malade : Il a toujours souffert ses longues et cruelles maladies, avec le courage d'un sage physicien qui sait à quoi la machine humaine est sujette, qui pardonne à la nature. »

DE MONTMORT (1678-1719), mathématicien, géomètre.

« Las du droit et de l'autorité violente de son père il se sauva en Angleterre, où il publia, à ses frais, un ouvrage de Guisnée.

Il entra en relations avec tous les savants, ses contemporains, Bernoulli, Newton, Leibnitz, Halley, Craige, Taylor, Herman, Moivre...

De Montmort travailla beaucoup à l'histoire de la géométrie. Chaque art chaque science devrait avoir la sienne. Il est très agréable, et ce plaisir renferme beaucoup d'instruction de voir la route que l'esprit humain a suivie, et, pour parler géométriquement, cette espèce de progression, dont les intervalles sont, d'abord, extrêmement grands, et vont ensuite, naturellement en se serrant toujours de plus en plus.

Ce savant aimait à faire les honneurs de Paris aux savants étrangers, qui, pour la plupart, s'adressaient d'abord à lui.

Sur ses derniers jours, alors que l'on récitait des prières pour son salut, les églises et leurs abords retentissaient des gémissements et des cris des paysans.

Sa mort fut honorée de la même oraison funèbre, éloges les plus précieux de tous, tant parce que aucune contrainte ne les arrache, parce qu'ils ne se donnent ni à l'esprit ni au savoir, mais à des qualités infiniment plus estimables ».

PHILIPPE DE **DANGEAU** (1638-1720), historiographe.

Issu d'une grande famille, passionné pour le jeu et l'algèbre, cette science, selon lui, aidait à son jeu.

« Un jour qu'il s'allait mettre au jeu du roi, il s'enhardit et demanda à Louis XIV de lui donner un appartement à Saint-Germain, où était alors la Cour.

Sa Majesté lui dit combien c'était une chose difficile, car il s'y trouvait peu de logements. Néanmoins, le roi promit, mais il mit une condition : M. de Dangeau devait fournir exactement cent vers durant que se ferait la partie.

Quand le jeu fut fini, qu'il avait mené avec son calme et son entrain ordinaires, il récita, sans hésitation les cent vers qu'il venait de composer et s'étaient amassés dans son excellente mémoire. »

D'ARGENSON (1652-1721), Lieutenant de police (1).

« Il succéda à La Reynie dans un poste qu'il occupa 25 ans. Les citoyens d'une ville bien policée jouissent de l'ordre qui y est établi, sans songer combien il en coûte de peines à ceux qui l'établissent ou le conservent.

Son courage égalait son sang-froid. Un jour, au cours d'un violent incendie qui menaçait une vaste maison et de nombreux habitants, il se fit ouvrir les portes, entra, parla et apaisa le tout.

Il savait le pouvoir d'un magistrat sans armes: il franchit le premier le passage dangereux. Le feu fut arrêté, il eut une partie de ses vêtements brûlés, et fut plus de vingt heures sur pied.

Il était fait pour être Romain, et pour passer du Sénat à la tête d'une armée.

Il égala la recette à la dépense pour la ville. Il fit éta-

----

(1) On voit un très beau portrait du marquis d'Argenson au musée d'art antique à Lisbonne (auteur anonyme).

blir des « règles » qui font recevoir au roi seul ses revenus, et le dispense de les partager avec des espèces d'as-
sociés. »

Abbé des BILLETTES.

« Janséniste et scrupuleux à l'endroit du bien public.
Quand il passait sur les marches du Pont-Neuf, il en prenait les bouts qui étaient moins usés, afin que le milieu
qui l'est davantage ne devint pas trop tôt un glacis. »

DERNIERS DISCOURS PRONONCÉS

Bernard **RENAU D'ELIÇARAGAY (1652-1719)**, Ingénieur de la Marine.

Originaire du Béarn, appelé le petit Renau, en raison de sa petite taille.

« Comme il séjournait à Rochefort, on lui fit apprendre les mathématiques, apparemment parce que le séjour en cette ville lui avait donné lieu de faire paraître des dispositions à entendre la marine. Enfin, on avait très bien remarqué, et l'on vit, par son application et ses progrès, qu'il était dans la route où son génie l'appelait.

A la Cour de grandes conférences avaient lieu : Louis XIV, Colbert et Seignelay y convoquèrent Duquesne et Renau. Ces deux hommes exposèrent leur projet pour la construction de grands bâtiments de guerre. La concurrence était entre ce marin consommé et ce tout jeune homme.

Dès lors sa carrière se poursuivit avec ses galiotes à bombes, lesquelles attaquèrent deux fois Alger.

En Catalogne, il travailla sous Vauban, qui, passionnément amoureux du bien public ne demandait qu'à faire des élèves. Il se forma entre eux une liaison des plus étroites. Ce fut la conformité de mœurs et de vertus, plus puissante que celle du génie.

Il fut en discussion scientifique avec Huyghens au sujet du parallélogramme des forces.

Des jaloux le desservirent auprès du roi. Il se retira en Béarn, il était quelque peu oublié.

Mais le Grand-Maître de Malte le fit demander à Louis XIV; sur ces entrefaites le roi mourut. D'autre part, le Régent le connaissait et l'estimait et il lui confia l'étude des projets amorcés par Vauban, pour la taille et la dîme.

La valeur, la probité, le désintéressement, l'envie d'être utile soit au public, soit aux particuliers, tout cela était chez lui au plus haut point. »

MERY (1645-1722), anatomiste.

C'était un bien curieux homme...

« Fils d'un chirurgien du Berry, il vint à Paris à 18 ans pour s'instruire à l'Hôtel-Dieu.

Non content de ses exercices du jour, il dérobait subitement un mort, quand il le pouvait, l'emportait dans son lit, et passait la nuit à le disséquer en grand secret. Mais ses arcanes et les mystères de ses occupations furent toujours dérobés à son entourage.

Bien plus, cette vie intérieure échappait à tous, et même à sa femme qui, lors de ses deux voyages en Angleterre, ne put jamais savoir le but et les résultats de ses déplacements.

Il avait été nommé chirurgien-major aux Invalides. M. de Harlay le nomma président de l'Hôtel-Dieu, charge qu'il accepta quand il sut bien entendu qu'elle n'était pas incompatible avec ses fonctions à l'Académie des Sciences. Je l'ai entendu dire que ces deux ensemble remplissaient toute son ambition.

On lui doit une création utile, celle d'un laboratoire et d'une salle de dissection pour ses cours d'anatomie.

« Nous autres, anatomistes, me disait-il un jour, nous sommes les crocheteurs de Paris, qui en connaissent toutes les rues, jusqu'aux plus petites, et aux plus désertes, mais qui ne savent pas ce qui se passe dans les maisons. »

PIERRE **VARIGNON** (1654-1722), mathématicien.

Il apprit de Bernoulli le calcul différentiel.

« Elève des Jésuites de Caen, il tomba, par hasard, sur les travaux d'Euclide, il en lut les premiers chapitres. Et le voilà pris par la géométrie qui le conduisit aux œuvres de Descartes.

Il entra en relations avec l'abbé de Saint-Pierre, qui le logea chez lui, presque sans frais. Avec Fontenelle et d'autres savants, ils se réunissaient souvent dans la solitude du faubourg Saint-Jacques, où venaient Duhamel, Du Verney, La Hire.

On y faisait des études sur les sciences en général. Varignon publia *Projet d'une nouvelle mécanique* puis, les *Nouvelles conjectures sur la pesanteur.* Ces ouvrages furent fort bien accueillis, et lui valurent deux situations importantes à l'Académie et au Collège de France.

Il n'y a peut-être pas eu de géomètre-né qui ait mieux connu et qui ait fait mieux sentir le prix de ses formules. Il ne pouvait donc manquer de saisir avidement la géométrie des infiniment petits. Dès qu'elle parut, elle s'éleva, sans cesse au plus haut point de vue possible, à l'infini, et de là, elle embrassa une étendue infinie.

Il ne s'épargna point, comme le font souvent les plus grands hommes, le travail de l'arrangement beaucoup moins flatteur que celui de la production même. »

LE CZAR **PIERRE Ier.**

Il fit poser sa candidature à l'Académie des Sciences, dans une lettre adressée par son premier médecin Areskins à l'abbé Bignon. « Le choix que vous avez fait de notre personne pour membre de votre illustre société n'a pu nous être que fort agréable... Nous ferons tous nos efforts pour contribuer, dans nos Etats, à l'avancement des Sciences et des beaux-arts, pour nous rendre par là d'autant plus digne d'être membre de votre société... »

Il envoyait une carte, récemment dressée, de la mer Caspienne, en hommage à cette compagnie de savants.

« L'ignorance était à son comble en Moscovie. Les czars y avaient contribué en ne permettant point que leurs sujets voyageâssent. Peut-être craignaient-ils qu'ils ne viennent à ouvrir les yeux sur leur malheureux état... Il avait envoyé les principaux seigneurs moscovites en différents endroits de l'Europe, leur marquant à chacun ce qu'ils devaient particulièrement étudier. Il ouvrit les Etats jusque-là fermés. Il attira chez lui tous les étrangers capables. Il avait fait un armement de terre et de mer considérable...

Il jugeait indigne de lui toute la pompe, et tout le faste qui n'eussent fait qu'environner sa personne, et il laissait au prince Menzicov représenter par la magnificence du favori, la grandeur du Maître. »

JOSEPH-GUICHARD DU VERNEY (1648-1730), anatomiste (1).

Il fut le savant à la mode de son temps, disciple du fameux abbé Bourdelot, de Stenon, de Swammerdam.

Il professa l'anatomie au Jardin du roi, et fut précepteur du Dauphin, fils de Louis XIV.

« A mesure qu'il parvenait à être plus à la mode, il y mettait l'anatomie qui, renfermée jusque-là dans les écoles de médecine, osa se produire dans le beau monde, présentée de sa main. Il était l'anatomiste des courtisans.

Je me souviens d'avoir vu des gens du monde qui por-

---

1) Il étudia la circulation, la fonction du poumon. Il voulait imprégner le sang d'air, le rendre capable de porter partout l'aliment, la vie la chaleur. »

taient, sur eux, des pièces sèches, préparées par Du Verney, pour avoir le plaisir de les montrer dans les compagnies.

Les sciences ne demandent pas à conquérir l'univers, elles ne le peuvent et ne le doivent. Elles sont à leur plus haut point de gloire quand ceux qui ne s'y attachent pas les connaissent assez pour en savoir le prix et l'importance.

Il reçut, un jour, une lettre de Pitcarne, éminent médecin écossais, dont voici la traduction :

« Très illustre Du Verney, voici ce que me dit un homme qui te doit beaucoup, et qui te rend grâce de ces discours divins qu'il a entendus de toi à Paris, il y a 30 ans. Je t'enverrai bientôt, ma dissertation, où je résoudrai le problème : étant donnée une maladie, trouver le remède. »

Le P. Sébastien TRUCHET (1657-1729), Hydraulicien.

Très expert dans « matière machinale » il fut l'un des ingénieurs qui travailla à amener les eaux aux jardins de Versailles. Mais, il était très instruit des qualités des bois, des métaux, des cordes.

Bien plus, il était horloger hors pair ; il avait réparé des montres de Charles II et sa science en ces matières parvint aux oreilles de Colbert.

« Il lui vint un jour, de la part de ce ministre un ordre de le venir trouver à sept heures du matin d'un jour indiqué ; nulle explication sur le motif de cet ordre, un silence qui pouvait causer quelque terreur.

Le P. Sébastien ne manqua pas l'heure. Il se présenta interdit et tremblant.

Le ministre, accompagné de deux membres de l'Académie, dont Mariotte était l'un, le loua sur les montres et lui apprend pour qui il avait travaillé (le P. ignorait que

ce fût pour un roi), l'exhorte à suivre son grand talent
pour les mécaniques, surtout à étudier les hydrauliques,
qui devenaient nécessaires à la magnificence du roi, et
pour l'animer davantage, et parler plus dignement en
ministre, il lui donna 600 livres de pension, dont la première année, selon la coutume de ce temps-là, lui est
payée le même jour.

On devine de quel zèle il a été enflammé pour ses travaux.

Religieux très fidèle à ses devoirs, il était désintéressé, et suivant le mot d'un prince du sang « il était aussi
simple que ses machines. »

PIERRE CHIRAC (1650-1732), principal médecin de
Louis XV.

Professeur de médecine, originaire de Conques, en
Rouergue, passionné pour les recherches et travaux pra-
tiques il étudia à la Faculté de Montpellier et gagna vite
une réputation surprenante.

« Une épidémie cruelle, dite « de Siam », plus cruelle
que la dysenterie désolait la région. Il fit plus de 500
autopsies, et s'inocula à lui-même la maladie pour la
mieux observer. Il en guérit, après en avoir décrit la marche.

Comme il était une lumière et la gloire de l'université
de Montpellier, sa réputation le fit appeler par le Régent.
Fixé à Paris, il fut le premier médecin de Philippe d'Orléans à la mort de Homberg, puis surintendant du Jardin
du roi, après la mort de Fagon.

Lors de la peste de Marseille, en 1720, il y fut mandé
pour organiser et réorganiser les services d'hygiène.

Son nom reste attaché à une création, ou plutôt au
projet de la création d'une Académie de Médecine.

Les fonds nécessaires étaient réglés et assurés, mais
quand le dessin fut communiqué à la Faculté de Méde-

cine de Paris, il se trouva beaucoup d'opposition. Elle
ne goûtait point que 24 de ses membres, les plus
employés, composâssent une petite troupe choisie, qui
aurait été trop fière de cette distinction, et se serait crue
en droit de dédaigner le reste du corps ; bref, l'affaire
traîna et survint la mort de Chirac, en 1732, à 82 ans.

Il légua à la Faculté de Montpellier trente mille livres
(environ six millions de nos francs actuels) pour fonder
deux nouvelles chaires à la dite Faculté. »

BERNARD-JOSEPH SAURIN (1706-1781), géomètre-pro-
fesseur.

« Professeur du Prince Eugène, protégé de Mme de
La Sablière, ami de Mariotte, enseigna les mathématiques
au Collège royal.

D'une famille de théologiens, de pasteurs, très attaché à la confession protestante, il avait été appelé à Paris
par le père du Chancelier d'Aguesseau.

Il mena une existence des plus mouvementées. Loué
par Voltaire, dénigré avec violence par d'autres, il dut
abjurer la religion réformée pour entrer à l'Académie des
Sciences. Louis XIV lui accorda une pension de 1.500
livres.

Il embrassa le catholicisme par devant Bossuet, avec
qui il avait eu plusieurs entrevues antérieures à Germini.
Et bientôt il eut « la joie d'être une conquête de M. de
Meaux, digne de ce prélat. »

« Sa femme, calviniste zélée, fut très ennuyée de cette
conversion. Il s'éleva entre la Suisse et Paris de pénibles
tractations, qu'on appelait « le roman de sa vie ».

Enfin les difficultés s'aplanirent, il fut en relations
normales avec sa famille, et il fut présenté à Louis XIV
par Bossuet lui-même.

Esprit très ouvert, il s'adonna à la géométrie, aux infiniment petits, eut une discussion scientifique avec Rolle, et travailla aux courbes, à la pesanteur, à l'horlogerie.

Dans un café qu'il fréquentait volontiers et où venait Rousseau, de vifs démêlés se produisirent entre ces deux hommes. Un procès s'ensuivit, et Rousseau l'ayant perdu **dut s'exiler. »**

(Sur le Buste de Molière, placé en 1778, dans la salle de l'Académie française, Saurin fit mettre ce vers :

« Rien ne manque à sa gloire, il manquait à la nôtre. »

DESCHIENS DE RESSONS.

Sur ce capitaine de vaisseau qui était un « fugueur » et que sa famille fit reprendre trois fois, Fontenelle a dit :

« Il y a un esprit des gens de guerre qui sont des héros dans l'action, et, hors de là, ne font guère de réflexions sur leur métier. En général, le nombre des hommes qui pensent est très petit, et l'on pourrait dire que tout le genre humain ressemble au corps humain, où le cerveau est tout ce qui pense, et toutes les autres parties les plus considérables par leur masse sont privées de cette noble fonction et n'agissent qu'aveuglément. »

HERMAN BOERHAAVE (1668-1738), médecin.

Un homme extraordinaire, théologien, médecin, d'une science universelle.

« Sa vie était extrêmement laborieuse et son tempérament fort robuste. Il ne laissait pas de faire de l'exercice, soit à pied, soit à cheval. Et quand il ne pouvait sortir de chez lui, il jouait de la guitare, divertissement plus propre que les autres aux occupations sérieuses ou tristes ; mais qui demande une certaine douceur d'âme ; que les gens livrés à ces sortes d'occupations n'ont pas, ou ne connaissent pas toujours.

Parmi ses productions, on doit retenir : *Institutiones medicae et aphorismi... de curandis morbis.*

Ordinairement, les hommes ont une fortune proportionnée non à leurs vertus et insatiables désirs, mais à leur médiocre mérite. Boerhaave en eut une proportionnée à son grand mérite. »

Il laissa une fortune considérable acquise par son seul travail.

Praticien hors pair, il est le fondateur de l'enseignement clinique. »

Sa réputation universelle avait franchi les océans et les pays les plus lointains. Un mandarin de Chine lui écrivit une lettre qui parvint exactement et portant cette simple adresse : A Monsieur Boerhaave, Médecin en Europe.

DE CISTERNAY DU FAY (1698-1730).

Lieutenant à 14 ans du régiment de Picardie, quitta le service pour la science chimie-botanique. Mort jeune à 41 ans, c'est lui qui désigna Buffon pour le remplacer au Jardin du roi.

« Homme de guerre par ses ancêtres, il s'entête dans la chimie. Tout enfant, il vit qu'on estimait les savants, qu'on s'occupait de recueillir leurs productions, qu'on se faisait un honneur de les connaître.

Dans ce que nous savons de lui, c'est la physique expérimentale qui domine.

Il était en termes excellents avec le philosophe anglais Gray.

Pourquoi l'exemple de cet Anglais et de ce Français qui se sont, avec tant de bonne foi, et si utilement accordés dans leurs recherches ne pourrait-il pas être suivi, en grand, par l'Angleterre et par la France ? Pourquoi s'élève-t-il entre les deux nations des jalousies qui n'ont pas d'autre effet que d'arrêter, ou au moins de retarder le progrès des sciences ? »

Toujours galant, Fontenelle se devait, et il n'eut

garde d'y manquer, de terminer la série de ses soixante-
neuf éloges, par un hommage rendu à celle qui avait
tenu dans sa vie mondaine une place si large et si belle.

Par la dignité éminente de sa vie, par sa bonté discrète et une modestie qui faisait l'admiration respec-
tueuse de tous, Mme la Marquise de Lambert avait bien
droit à ces déférentes louanges :

« Les qualités de l'âme plus importantes et plus rares
surpassaient encore en elle les qualités de l'esprit. Elle
était très courageuse, peu susceptible d'aucune crainte si
ce n'était sur la gloire, incapable de se rendre aux obs-
tacles, dans une entreprise nécessaire ou vertueuse.

Elle n'était pas seulement ardente à servir ses amis,
sans attendre leurs prières, ni l'exposition humiliante de
leurs besoins ; mais une bonne action à faire, même en
faveur de personnes indifférentes la tentait toujours
vivement, et il fallait que les circonstances fussent bien
contraires si elle n'y succombait pas.

Quelques mauvais succès de ses générosités ne l'en
avaient corrigée, et elle était toujours également prête
à hasarder de faire le bien. »

BIBLIOGRAPHIE

Dictionnaire de Moréri.
Dictionnaire de Michaud.
Dictionnaide Larousse de 1875.
Dictionnaire de **Bayle.**
Grande Encyclopédie de Berthelot.
Biographie générale Hoefer.

Histoire de France de Larousse (tome 1810-71).
Histoire littéraire franç., par des Granges.
Hanotaux, Histoire de France.

Fontenelle, par Laborde-Milaâ.
Abbé Trublet; Vie et œuvres de Fontenelle, 1757.
Doclos : Eloge de Fontenelle.
Voltaire : Siècle de Louis XIV.
Lettres de Voltaire.
Sainte-Beuve : Causeries du lundi.
Pages choisies de Fontenelle, par Potez.
Fontenelle : par Faguet.
Brunetière : Chemin de la croyance.
J.B. Carré : Fontenelle.
Fontenellina, notice 1853.
Charme : Fontenelle, Caen.
Flourens : Fontenelle, 1847.
Boissy d'Anglas : Fontenelle.
Lenoir : Fontenelle.

Guerlac : citations françaises.
Esprit de Fontenelle, Le Guay de Prémontval.
Briand : Fontenelle.

Bibliothèque d'Antibes, d'Arras.
Bibliothèque Mazarine.
Bibliothèque de l'Académie des Sciences de Paris.
Bibliothèque de l'Académie des Sciences de Lisbonne.

TABLE DES MATIERES

ACHEVÉ D'IMPRIMER SUR LES PRESSES
DE L'IMPRIMERIE A. LEMASSON A SAINT-LO
POUR LE COMPTE
DES NOUVELLES ÉDITIONS DEBRESSE A PARIS
LE 15 SEPTEMBRE 1961

N° D'ÉDITEUR : 1555

DÉPOT LÉGAL : 3ᵉ TRIMESTRE 1961